がん手術を成功にみちびくプレハビリテーション

専門医が語る
がんとわかってから
始められる7つのこと

佐藤典宏
産業医科大学 第1外科講師

大月書店

がん手術を
成功にみちびく
プレハビリテーション

専門医が語る
がんとわかってから
始められる7つのこと

目次

はじめに

本書を手に取ってくださったあなたは、がんと告知され手術を受けることが決まった患者さん、あるいは、ご家族の方でしょうか？　おそらく、がんや手術、今後の生活などに関する不安や心配で頭がいっぱいのことでしょう。

また、施設（病院）によっては新型コロナウイルスの影響で、手術の時期が通常よりも遅れているかもしれません。実際に、新型コロナウイルスの感染拡大によって、多くのがん患者さんの検査や治療が中止または延期となりました。今後しばらくの間、がん患者さんの入院・手術が迅速に行えていた以前のような診療体制に戻ることは難しいと考えられます。

一方で、日本では、がんが増加の一途をたどっています。現在、毎年およそ100万人を超える人ががんを発症し、今後も増え続けると予測されています。日本の医療体制がこのような状況にあっても、がん患者は決して減るわけではありません。

がん治療は「待ったなし」なのです。

そして、多くのがん患者さんに必要となる治療といえば、三大療法のひとつである**「手術」**です。

がんが遠くの部位（臓器）に転移しているような例や、手術（あるいは麻酔）に耐えられないほど全身の状態が悪い場合を除き、治療の選択肢として、まず「手術」がすすめられることになります。

手術の最大のメリットは、短時間のうちに「がんをひとかたまりに除去できる」ことです。手術がうまくいって再発がなければ、根治（がんが完全に治ること）の可能性もでてきます。

とはいえ、手術もいいことばかりではありません。手術の最大のデメリットは、「体にメスを入れる」という言葉に表されるように、侵襲（しんしゅう）、つまり体への負担が大きいことです。手術後に合併症（手術にともなって起こる望ましくないこと）が起こることもありますし、重症化した場合には命を落とすといったケースもゼロではありません。たとえ合併症を乗り越えたとしても、その後の生存期間が短くなるといったデータさえあるのです。

最近では、外科医は患者さんにこのような最悪のケースもしっかりと説明しますので、「手術はこわい治療」という印象が強く残ります。このため、がんの手術が決まったとき、多くの患者さんは不安を抱え、ただ手術日まで待つだけの生活を送ります。

「頭が真っ白で、何もする気が起こらない」

「いまさらじたばたしたところで、どうにもならない」

あるいは「手術は外科医がするのだから、お任せするしかない」といった心境でしょう。

もちろん、「手術がうまくいくかどうか」は病院の医療レベルや外科医の技量にもかかっています。患者さんにはどうすることもできないという側面もあります。

しかし、長年がんの手術を担当してきた私の経験や多くの研究結果を調査してわかったことは、**手術の成功はむしろ「患者さん自身の手術に向けての準備」にかかっている**ということです。

手術は、患者さんと医師の共同作業です。

外科医である私たちも、患者さんのために全力を尽くして最善の手術をしようと努力します。ただ、せっかく外科医が完璧な手術をしたとしても、手術前の患者さんが抱える問題（持病、体力、食事、喫煙といった生活習慣など）が原因で合併症が起こったり、手術後の回復が遅れたりすることも多いのです。

このような患者さん側の要因は、私たち外科医の手ではどうすることもできませんが、患者さん自身によって（少なくともある程度は）改善することが可能です。

たとえば、たばこを吸っている人は、術前に禁煙するだけで肺炎など合併症のリスクを減らすことができるのです。あるいは、持久力や筋力が減っている患者さんでは、手術の前に運動をすることで、早期に回復することができるというデータもあります。

この他にも、手術を成功させるために患者さん自身で「やるべきこと」、あるいは「やったほうがいいこと」がたくさんあります。**短期間であっても、手術までの準備や生活改善によって「手術がうまくいくか」が決まり、結果的に「がんの治癒率や生存期間」が変わってくる可能性があるのです。**

こういった重要なことを、ほとんどのがん患者さんは知りません。これは、ひとつには医療者側の問題でもあります。

外科医は、手術の内容や合併症・後遺症のリスク、および術後の治療計画などについてはしっかりと説明するのですが、「手術日までの過ごし方」については、患者さんに聞かれないかぎり説明しないでしょう。

その理由として、まずは外科医が忙しすぎて、外来での説明の際に十分な時間がとれないこと。もうひとつは、術後の回復を早めるための手術前の取り組み（いわゆる**プレハビリテーション**:「第1章」で解説）がまだ日本では普及していないこと。さらに、術前の適切な生活指導の方法や有用性について、外科医自身も詳しく知らないといったことが考えられます。

ですので、**手術を受ける病院にこういった術前からのプログラムや生活指導がない場合には、患者さん自身がその必要性について評価し、自主的に取り組むべきなのです。**

私が担当する外来では、がんの手術を予定している患者さん全員に、運動を中心としたプレハビリテーションの重要性をお話ししています。とくに、高齢のがん患者さんや、膵臓がんの手術など比較的体への負担が大きい手術を受ける場合には、それぞれの患者さんにあった「個別のプレハビリテーション（がんの手術前にすべきこと）」を必ず実行してもらうようアドバイスしています。

この「個別のプレハビリテーション」は、とくに難しいことはないのですが、全員が計画どおり100％実施できるわけではありません。たとえば、ふだん運動をしていない人には、最初はきついと感じることも多いでしょう。でも、続けているうちにだんだんと楽になり、体力がついてきたことを実感するようになります。そして、何より大事なことなのですが、「自分自身が治療に参加している」という気持ちになっていくのです。

その結果、患者さんは大きな手術を無事に乗り切り、早期に回復し、笑顔で退院していきます。そして、進行がんを克服して5年そして10年と元気に外来に通ってこられます。

本書では、がんの手術を控えた患者さんが「術前にどのような準備をすればいいか」について詳しく解説します。

もし、あなたのがんの手術が延期になったとしても、準備期間ができたとポジティブに考えることもできます。 がんと告知されて不安な毎日を過ごされている患者さんが、できるだけ早くショックより立ち直り、手術までの期間に自分でできる準備をしっかりとやり、がんを克服されることを心より願っています。

第1章

がん手術を成功にみちびく準備（プレハビリテーション）

手術の合併症および死亡リスクを減らすプレハビリテーションとは？

がん患者さんの多くに、さまざまな理由によって栄養状態の悪化や筋肉量の低下がみられることがあります。また、日本における急激な高齢化にともない、体力（持久力、筋力）が低下しているがん患者さんが増えてきました。

がんの告知を受けた患者さんの多くは、ショックから精神的に落ち込んだままの状態がしばらく続きます。外出して体を動かす機会が減り、食欲もなくなってきます。なかには自宅に引きこもってしまう人もいます。このため、手術までの間にさらに栄養状態が悪化し、体力が低下するといった悪循環におちいることがあります。

これは、手術を控えたがん患者さんにとって、できるだけ避けなければならない事態なのです。なぜならば、手術を受ける時点で、患者さんの栄養状態が悪かったり、体力や筋肉量が落ちたりしている場合、術後の合併症が増えて死亡リスクが高くなるからです。

合併症とは、「手術によってもたらされる好ましくない状態」のことで、たとえば、肺炎であったり、腸を縫合したところがうまくつながらずに内容物が漏れたり、あるいは創部（手術の傷口）が細菌によって化膿するといったことです。

つまり、がん患者さんが何もしないまま手術をむかえると、手術後にこのような「イヤなこと」が起こるリスクが増え、入院期間が長引くことが予想されます。また、最悪の場合、命を

プレハビリテーションの主なベネフィット（恩恵）

1. 身体機能（体力）の回復
2. 合併症リスクの減少
3. 生存率の改善

おびやかす状態におちいる可能性さえあるのです。

最近では、手術後はできるだけ早く座ったり立ったりして、ベッドから離れて体を動かす訓練（リハビリテーション）を開始します。これは、「早期離床」あるいは専門用語では「ＥＲＡＳ（イーラス）＝術後回復強化プログラム」とも呼ばれ、多くの病院（外科病棟）で実施されるようになりました。その目的は、術後の機能回復を強化すると同時に合併症を減らし、退院や社会復帰をうながすことです。

ただ、なかには手術後からのリハビリテーションでは機能回復が間に合わず、合併症が起こってしまう人もでてきます。実際に、大腸の手術を受けた患者のうち、術前に身体機能が低下していた人では、術後回復強化プログラムを行ったにもかかわらず、合併症が４倍以上にも増えていました。

そこで、こういった事態を避けるために、手術前からリハビリテーションを開始する重要性が注目され、欧米を中心に医療の現場に導入されつつあります。

実際に海外における多くの研究結果より、患者さんが手術までの間に運動や総合的なリハビリテーションを行うことにより、手術の合併症が起こるリスクを減らし、早期に回復することが証明されています。

この手術前のリハビリテーションのことを、**プレハビリテーション（prehabilitation）**と呼びます。プレハビリテーションは、もともと整形外科の領域で始まりましたが、最近ではがんの手術（たとえば大腸がんの手術）にも適用されることが多くなり、その高い効果が認識されつつあります。

もっとも基本となるプレハビリテーションのメニューは運動です。最近では、運動、栄養サポート（食事指導など）、および精神的ケア（不安を軽くするカウンセリングなど）の３つの柱から構成されるプレハビリテーションが主流です。施設によっては、これに呼吸訓練や禁煙プログラムなどを追加するものもあります。

ただ、「がんの手術を受ける人」といっても、実際には患者さんの背景（年齢や体力、栄養状態、がんの進行度など）や予定される手術の方法は一人一人まったく違います。このため、必要とされるプレハビリテーションのメニューは、患者さんによって違ってくるのです。そこで、最近では患者さん一人一人にあった「**個別のプレハビリテーション（personalized prehabilitation）**」を導入する施設もでてきました。

プレハビリテーションによってもたらされる恩恵（ベネフィット）

プレハビリテーションの詳細については、英国の団体マクミランがんサポート（Macmillan Cancer Support）などが、「がん患者のためのプレハビリテーション（Prehabilitation for people with cancer）」と題したガイダンスを発表しています（英文ですが、一般に公開されています）。

このガイダンスによると、がん患者さんにとってのプレハビリテーションの目的として、次のことをあげています。

- 入院期間の短縮
- 治療後の回復を強化
- 治療後の合併症を減少
- 禁煙・禁酒について指導する機会ができる
- 心肺機能の改善

● 栄養状態の改善
● 神経認知機能の改善

これらのうち、プレハビリテーションによってもたらされる主な恩恵（ベネフィット）について、これまでの研究結果を交えて解説します。

1 身体機能（体力）の回復

最初に、プレハビリテーションによって身体機能（持久力や筋力）が改善し、術後の回復がうながされることが示されています。

手術は患者さんにとって負担となり、しばらくは身体機能が落ちます。大きな手術を受けた患者さんのうち、40～50％は術後6か月たった時点でも身体機能や筋力が低下したままだといわれています。プレハビリテーションは、術前から体力をアップしておくことで、術後も早くもとどおり動けるようになることを目的としています。

研究で、手術を予定している食道がん患者を、手術前にプレハビリテーション（運動＋栄養サポート）を受けるグループと受けないグループとに分け、手術の前後で「6

分間歩行テスト」（6分間でどのくらいの距離を歩けるかを測定）によって身体機能（持久力）がどう変化するか比較しました。その結果、プレハビリテーションを受けたグループ（26人）は、受けていないグループ（25人）と比べ、手術前および手術後の持久力（歩けた距離）が明らかに改善していました（上図）。

図　プレハビリテーションによる持久力（歩行距離）の改善

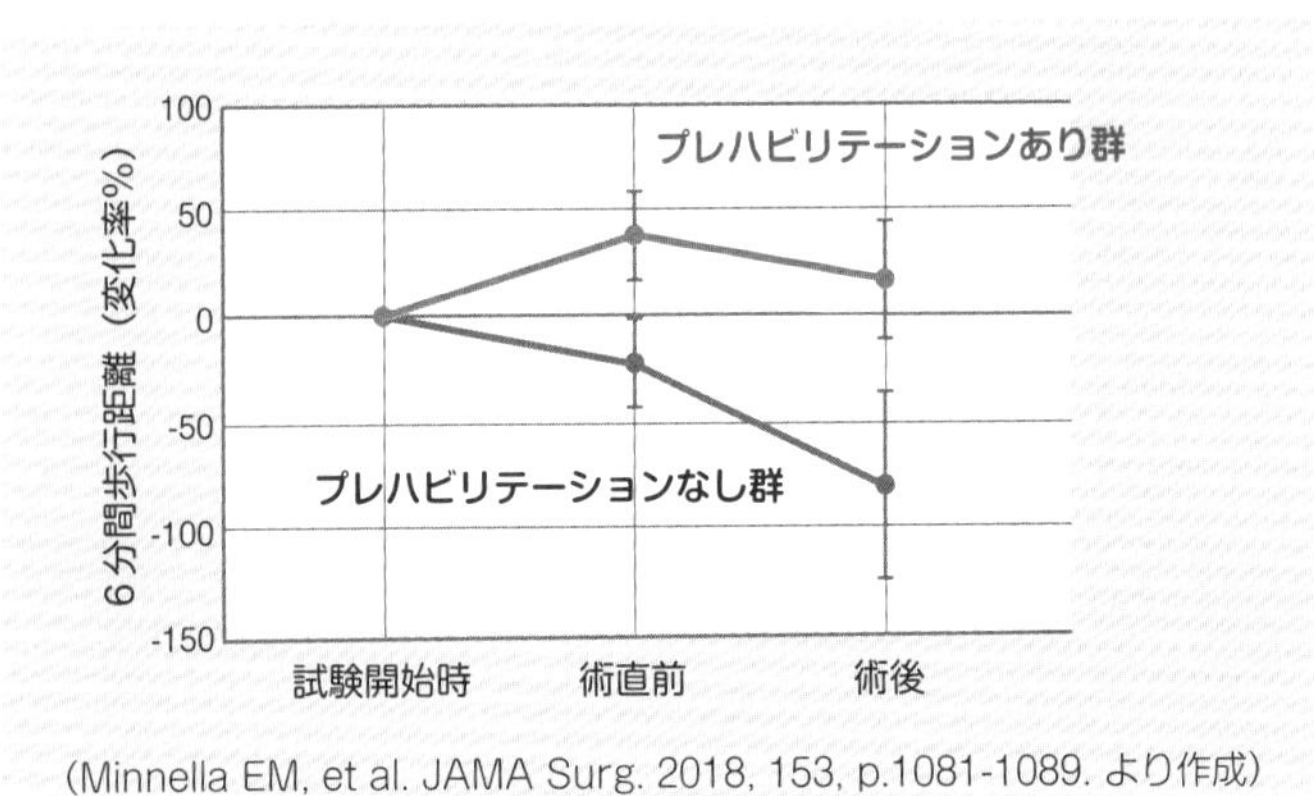

（Minnella EM, et al. JAMA Surg. 2018, 153, p.1081-1089. より作成）

肝臓の手術を予定しているがん患者を対象としたランダム化比較試験では、運動を中心としたプレハビリテーションを4週間続けることで、術前に心肺機能と生活の質が改善しました。

日本での報告でも、肝胆膵領域のがん（肝臓がん、胆道がん、膵臓がん）に対して手術を予定している患者（76人）を対象として運動と栄養サポートのプレハビリテーションを導入したところ、術前の栄養状態、歩行能力、および筋肉の量が改善したとのことです。

このようにプレハビリテーションによって術前から持久力や筋力が改善し、術後の回復が早くなることが示されています。

2 合併症リスクの減少

次に、プレハビリテーションによって術後の合併症のリスクを減らすことができます。

つまり、プレハビリテーションによって「手術によってもたらされる好ましくない状態」を未然に防ぐことができるということです。

たとえば、高齢の患者さんに多くみられる合併症に「術後せん妄」があります。これは、手術をきっかけにして起こる意識・精神障害で、急に不穏（落ち着かない状態）、錯乱、幻覚、興奮状態（大声を出す、徘徊する、暴力を振るうなど）といった症状が出現します。大腸がん手術などを受ける70歳以上の高齢患者を対象とした研究では、プレハビリテーションによって術後せん妄の発生率をおよそ半数に減少させることができたということです。

腹部手術を受けた患者を対象とした9つの研究（計435人）をまとめた総合的な

解析では、有酸素運動、レジスタンス運動、および呼吸筋のトレーニングからなるプレハビリテーションを実施することで、すべての術後合併症がおよそ40％減ることが示されました。なかでも、肺炎など呼吸器関連の合併症は70％以上も減少したという結果でした。

高齢の患者さんや、もともとの健康状態があまりよくない患者さんに、ひとたび肺炎など重症の合併症が起こると、それがきっかけで死亡につながることすらあります。したがって、合併症を未然に防ぐためのプレハビリテーションは、患者さんの命を救う重要なプログラムであるといえます。

また、プレハビリテーションによって術後の合併症が減り、回復が早まる結果、入院期間が短くなるというメリットもあります。

実際に、大腸がん手術を受ける患者を対象とした9つの研究をまとめた報告によると、プレハビリテーションによって入院期間が2日間短縮されていたとのことです。

術前の運動に関する17の研究を総合的に解析した結果では、肺がん患者において、術前の運動は術後合併症をおよそ50％減らし、入院期間を3日程度短縮させることが示されています。

昨今、医療費の高騰が社会問題となっていますが、合併症が減ったり、入院期間が短くなったりすることは、医療コストの削減にもつながります。すなわち、プレハビリテーションは医療経済的にも有意義なプログラムといえます。

こういった観点からも、がんの手術を控える患者さん全員にプレハビリテーションをおすすめしたいと考えています。

3 生存率の改善

さらに、驚くべきことに、プレハビリテーションを行うことで、**生存期間が長くなる**という研究結果も報告されています。

大腸がん患者を対象とした過去の3つの研究をまとめた調査では、手術を受けた202人の大腸がん患者（ステージⅠ〜Ⅲ）を、プレハビリテーションあり群（104人）とプレハビリテーションなし群（98人）に分け、無再発生存期間および全生存期間を比較しました。

プレハビリテーションは、運動（有酸素運動＋レジスタンス運動）に栄養サポートと精神的ケアを加えたものを、術前およそ30日間（20〜40日）にわたって実施しました。

図　プレハビリテーションによる大腸がん無再発生存率の改善

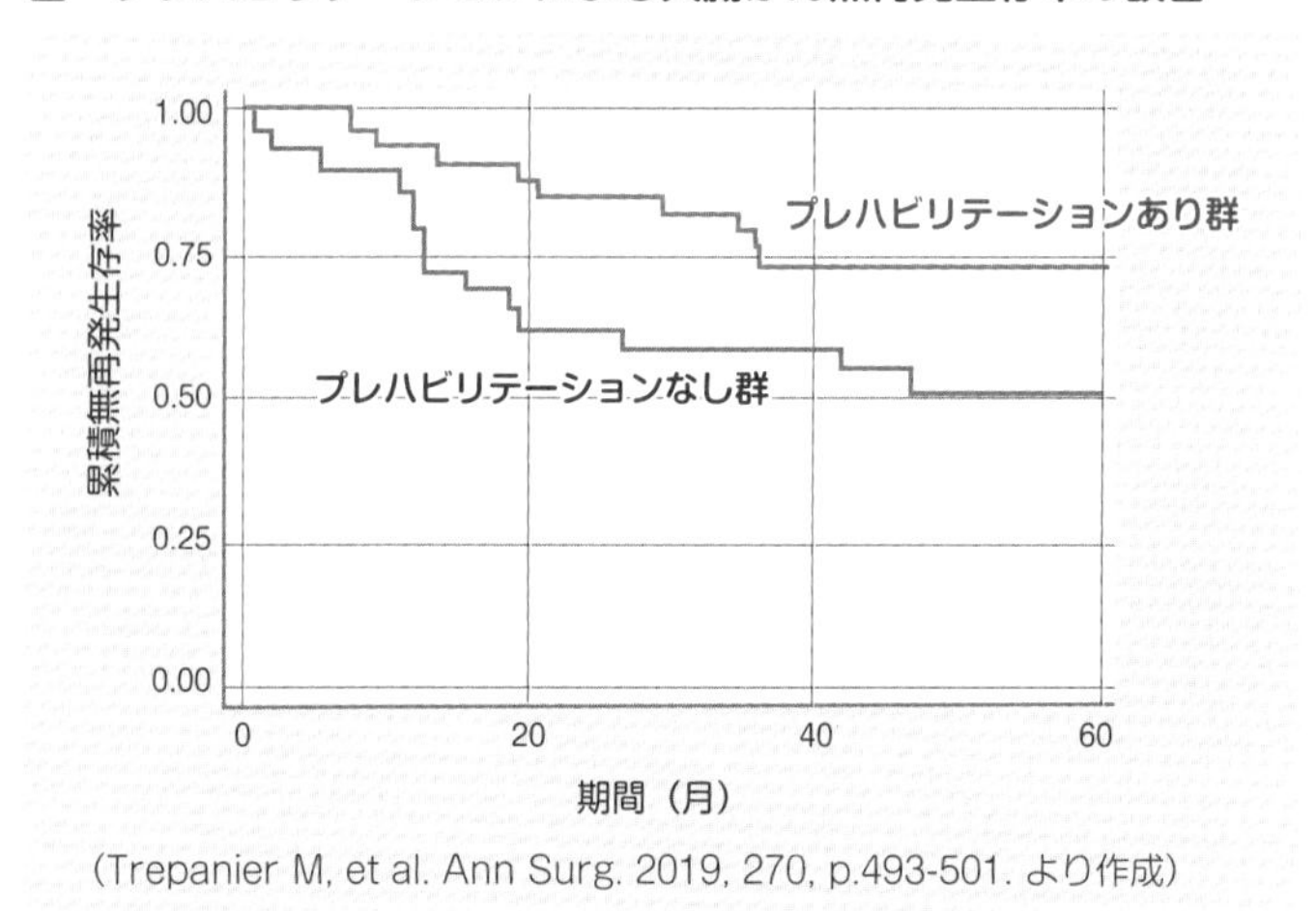

（Trepanier M, et al. Ann Surg. 2019, 270, p.493-501. より作成）

その結果、全体の患者ではプレハビリテーションと生存率との間に関係はみられなかったものの、ステージⅢの大腸がん患者に限定した解析では、プレハビリテーションあり群の5年無再発生存率（73・4％）はプレハビリテーションなし群（50・9％）に比べて有意に高いという結果でした（P＝0・045）。

以上の結果より、プレハビリテーションによって、一部の（進行した）大腸がん患者の生存期間が延長することが示されました。

もちろん、より大規模な臨床試験での検証が必要ですが、プレハビリテーションは術後の合併症を予防して回復を促進するだけではなく、長期的ながんの予後（治療の経過）を改善する可能性があります。

がんを克服するため、あるいは長生きするためにも、プレハビリテーションをぜひ取り入れてほしいと思います。

術後のリハビリより プレハビリテーションのほうがいい

現在の医療現場では、早期離床（手術後にできるだけ早くベッドから離れ、歩行などを開始すること）を目標にかかげ、術後できるだけ早くからリハビリテーションを行うのが一般的です。

では、術前からのプレハビリテーションと術後のリハビリテーションではどちらがより効果的なのでしょうか？　これを比較した臨床試験があります。

大腸がんの手術を予定している77人の患者を、プレハビリテーションを受けるグループ（38人）と術後リハビリテーション（39人）を受けるグループにランダムに割り付けました。

その結果、術前に歩行機能（6分間歩行テスト）が改善した患者は、プレハビリテーション群（53％）で術後リハビリテーション群（15％）に比べて多く、また術後8週間目の歩行機能の改善率は、プレハビリテーション群（23・7ｍ増加）で術後リハビリテーション群（21・8ｍ減少）よりも有意に高かったとのことです。

以上の結果より、術後の身体機能（歩行能力）回復のためには、術後のリハビリテーションよりも、術前のプレハビリテーションのほうが有効である可能性が示唆されました。

プレハビリテーションの現状

このような研究の増加にともなって「プレハビリテーション」は世界的に注目されていますが、残念ながら日本ではまだ導入している病院はほとんどありません。

その理由のひとつは、医療者のマンパワー不足であると感じています。プレハビリテーションを計画的に行うためには、主治医（外科医）や看護師に加え、麻酔科医、栄養士、理学療法士、歯科医、薬剤師、心療内科・精神科医などさまざまな職種がチームとなって患者さんにかかわる必要があります。これは忙しい医療現場ではたいへんなことです。つまり、いいことであるとはわかっていながら、実際には病院でのプログラムとして導入・運営することが難しいのです。

そこで、手術を受ける病院にこのような術前のプログラムがない場合には、患者さんが自主的にプレハビリテーション（あるいは、プレハビリテーションに準じた生活習慣の改革）を行う必要があるのです。

手術前の準備（プレハビリテーション）のメニューと期間

では、がんの手術を控えた患者さんが、「手術前の準備（プレハビリテーション）としてどういったことを、どのくらいの期間やるべきか」について、具体的に解説していきます。

プレハビリテーションの基本は運動、栄養サポート（食事療法）、精神的ケアの3つ

プレハビリテーションのメニューは、実施している施設（病院）、対象となる患者さんの状態（がんの種類や進行度）、および手術の種類などによって異なりますが、基本は運動、食事による栄養サポート、そして精神的ケアの3つの柱から構成されま

す。ちなみに優先順位としては、運動、食事、そして、精神的ケアの順番になります。

過去の研究をまとめた調査によると、腹部のがん患者を対象とした9つのプレハビリテーションについての研究のうち、メニューとして運動だけを採用していたものが78％（7つ）であり、運動に食事指導と精神的サポートを組み合わせていたものが22％（2つ）でした。

胸部（肺）の手術前のプレハビリテーションでは、通常これらに加え、呼吸訓練（呼吸筋の

プレハビリテーション3つの柱

- 運動
- 栄養サポート（食事療法など）
- 精神的ケア（カウンセリングなど）

トレーニング）がプログラムに組み込まれているものがほとんどです（呼吸訓練については「第3章」で詳しく解説します）。

プレハビリテーションのための理想の期間

次に、プレハビリテーションの期間はどのくらいが必要なのでしょうか？　これについては、まだ明確なエビデンス（科学的根拠）はありません。

過去の報告をみると、プレハビリテーションの期間は研究ごとに異なり、1週間から8週間までとさまざまです。

もっとも短期間のものは、呼吸機能に障害がある肺がん患者を、有酸素運動と呼吸筋のトレーニングを組み合わせたプレハビリテーションを術前に1週間だけ行うグループと、行わないグループに分けて比較した研究です。プレハビリテーションを行ったグループでは術後の呼吸器関連の合併症の発生率が11・8％であり、プレハビリテーションなしのグループの35・3％と比べるとおよそ3分の1まで低下していました。

プレハビリテーションの設定期間としてもっとも一般的なのは4週間です。116人の手術予定の大腸がん患者を対象とし、4週間のプレハビリテーション（運動、栄養サポート、およびリラクゼーションのためのカウンセリング）を受けるグループ（57人）と受けないグループ（59人）にランダムに割り付け、手術時の身体能力を比較検討した臨床研究では、プレハビリテーションを受けた患者では、手術直前の身体活動レベルおよび歩行能力が有意に向上していたとのことです。この結果より、「4週間のプレハビリテーションは大腸がん患者の運動習慣を変化させ、術前の機能的歩行能力を改善するのに十分である」と結論づけています。

したがって、必要とされるプレハビリテーションの期間は、患者さんの状態や受ける手術によって変わってきますが、1～4週間が理想的であると考えられます。私の経験でも、たとえ1週間でも患者さんに真剣に取り組んでもらうと、外来での歩き方や表情など見た目が変わってくるのです。また、2～4週間のプレハビリテーションを実践してもらった患者さんのデータをみると、栄養状態が改善していることに気づきます。

ここで気になるのは、手術までの待ち時間が長くなると、がんが進行してしまうのではないかという懸念です。手術を受けることが決まった患者さんのなかには、「待っている間に、がんが広がったり転移したりするかもしれないので、一刻も早く手術で取り除いてほしい」と思う人もいるでしょう。

では、実際に手術が遅れると、その間にがんが進行してしまうのでしょうか？　手術の遅れががんの治療成績（生存率）に影響をおよぼすといったエビデンスはあるのでしょうか？

手術までの待ち時間と生存率との関係を調査した多くの研究結果によると、一部のがん（乳がんと直腸がん）では、診断（あるいは症状の出現）から手術までの期間が非常に長くなると（たとえば2か月以上）、生存期間が短くなる可能性があります。一方で、食道がん、胃がん、結腸がん、膵臓がん、および肺がんでは診断から手術までの遅れ（少なくとも1か月程度の遅れ）と生存率との間に明らかな関連性はないという結果でした（詳しくは拙書『「このがん治療でいいのか？」と悩んでいる人のための本――読むセカンドオピニオン』［時事通信社・2019年］をご参照ください）。

つまり、がんの部位や進行度にもよりますが、4週間（1か月）程度であれば、手術までの待ち時間が長くなっても心配はないと考えられます。この期間にプレハビリテーションを行うことで、術後の合併症を減らし、むしろ生存率を改善できる可能性もあるのです。

がんの手術前にやるべき7か条

私はプレハビリテーションの基本メニューである運動、栄養サポート、および精神的ケアに、さらに4つの重要な項目を追加して、「がんの手術前にやるべき7か条」として、しかるべき患者さんにお伝えしています。

もちろん、この7か条をすべてやる必要はありません。自分に必要なもの（あるいは、主治医と相談して許可されたもの）をピックアップして個別のプレハビリテーションのプログラムを作成してください。

また、実際にやろうと決めたとしても、100％達成することは不可能です。思わぬ用事ができたり、体調が悪化したりして、計画どおりにすすまないこともあるでしょう。プレハビリテーションの研究でも、決められたプログラムの達成率は60％と

がんの手術前にやるべき7か条

1　運動（有酸素運動＋レジスタンス運動）

2　食事療法による栄養サポート
（タンパク質を意識）

3　精神的ケア
（専門医受診や不安を軽減するための瞑想など）

4　口腔ケア（歯科医受診）

5　禁煙（喫煙者）および呼吸訓練
（とくに高齢者や慢性の呼吸器疾患がある人）

6　サルコペニア（筋肉やせ）の人は
運動（筋トレ）＋タンパク質強化

7　プロバイオティクスによる腸内環境改善

低かったという報告があります。

ですので、無理をせず80％や70％、あるいは50％でもいいのです。「まったくやらないより、少しでもやったほうがいい」という気持ちで続けましょう。

前著『ガンとわかったら読む本』（マキノ出版・2018年）でも書きましたが、私が外来でこの「がんの手術前にやるべきこと」を導入し、患者さんにすすめるようになってから術後の合併症が減少しました。

たとえば、膵頭十二指腸切除術という比較的負担の大きな手術を受けた患者さんについて術後合併症の発生率を調べてみたところ、導入前には17％であったものが、導入後には半分以下の8％にまで減りました。

もちろん、きちんと効果を証明するためには、多くの患者さんでの比較試験が必要ですが、患者さん自身による手術前の準備（プレハビリテーション）によって術後の合併症が減った可能性が高いと考えています。

あなたにはどんなプレハビリテーションが必要か？

くり返しになりますが、がんの手術を受ける患者さんの背景（年齢や体力、栄養状態、がんの部位や進行度など）は一人一人まったく違います。このため、「プレハビリテーションがどのくらい必要か」は、患者さんによって異なります。

では、どのような人にプレハビリテーション、あるいは先ほど紹介した「がんの手術前にやるべき7か条」は必要なのでしょうか？

基本的には、すべての手術を控えたがん患者さんに役立つことは間違いないと信じています。ただ、次の項目にあてはまる人は、よりプレハビリテーションの必要性が高くなります。

●活動性が低い（日常生活に制限がある）人

- 高齢の人（75歳以上）
- 治療中の持病（例：糖尿病、喘息やCOPDといった呼吸器の病気など）がある人
- たばこを吸っている人（あるいは咳や痰が多い人）
- 食欲がなく（あるいは食事があまりとれずに）、体重が減っている人
- 筋肉が落ちて手足が細くなってきた人
- 手術前に抗がん剤や放射線治療を受ける人

これらの項目にひとつでもあてはまる人は、しっかりとしたプレハビリテーションが必要だと考えられます。逆に言うと、これらの人こそプレハビリテーションの恩恵にあずかることができると考えられます。

活動性が低い人ほど、合併症のリスクが高まる

まず、手術がうまくいくか（あるいは麻酔が安全にかけられるかどうか）を決定す

る重要な因子は、全身の状態、つまり、日常生活での活動性です。

あたりまえのように感じるかもしれませんが、全身状態が良好で、ふだん活発に動ける人ほど手術を安全に行うことができ、合併症のリスクは低くなります。

一方で、全身状態が悪く、日常生活に制限がある人ほど麻酔や手術にともなう危険が高くなり、合併症も増えるのです。極端な例をあげると、寝たきりの患者さんは手術や麻酔のリスクが非常に高くなるわけです。

たとえば、膵頭十二指腸切除を受けた1万7564人の患者について日本の大規模なデータベースを使って解析した研究によると、日常生活において自分の身のまわりのことができない（部分的または完全に依存している）患者では、重症の合併症が起こるリスクがおよそ2倍になっていました。

日常の活動性をあらわすパフォーマンス・ステータス

一般的に医療現場では、がん患者さんの活動性（日常生活においてどのくらいの制

図　パフォーマンス・ステータス（PS）

0：まったく問題なく活動できる。発症前と同じ日常生活が制限なく行える。
1：肉体的にはげしい活動は制限されるが、歩行可能で、軽作業や座っての作業は行うことができる。
（例：軽い家事、事務作業）
2：歩行可能で、自分の身のまわりのことはすべて可能だが、作業はできない。日中の50%以上はベッド外で過ごす。
3：限られた自分の身のまわりのことしかできない。日中の50%以上をベッドか椅子で過ごす。
4：まったく動けない。自分の身のまわりのことはまったくできない。完全にベッドか椅子で過ごす。

限があるか）を評価する指標として、アメリカの団体ＥＣＯＧ（Eastern Cooperative Oncology Group）が提唱したパフォーマンス・ステータス（PS：Performance Status）が使われています。

パフォーマンス・ステータスでは、患者の全身状態を日常生活動作のレベルに応じて０〜４の５段階であらわし、「ＰＳ（ピーエス）０」などと呼びます。

大多数の人はＰＳ ０またはＰＳ １だと思いますが、なかには、持病やがんの症状によってＰＳ ２やＰＳ ３になっている人がいるかもしれません。とくに、高齢の患者さんは、もともと活動性が低下しているところにがんによって全身状態がさらに悪化し、ＰＳが高い人が多くなってきます。

私たち外科医としても、ＰＳが高いがん患者さんにとって手術が適当かどうかの判断はとても慎重になります。なぜならば、ＰＳが高い（一般的には2以上）がん患者さんほど、術後の合併症が増え、生存期間が短くなることが多くの研究から明らかとなっているからです。ときには、リスクが高すぎて手術や麻酔ができない（あるいは手術しないほうが長生きできる）場合もあるのです。

したがって、手術を受ける予定のがん患者さんのなかでも、ＰＳが高い人ほどしっかりとしたプレハビリテーションが必要であると考えられます。実際に、私が担当したがん患者さんのなかでも、活動性が低下している人には、少し手術日を遅らせてでも手術にむけて準備してもらうようにしています。

日中の半分以上の時間をベッドか椅子で過ごすほど活動性が低下した患者さん（ＰＳ３）でも、プレハビリテーションによって全身状態が改善し、手術の直前にはしっかりと歩けるようになります。その結果、術後の合併症を起こさないで退院できるケースが少なくありません。

プレハビリテーションがより必要となる手術術式

また、がんの手術といってもさまざまで、種類（いわゆる術式）によって侵襲（体への負担）が異なります。体への負担が大きな手術を受ける場合には、よりプレハビリテーションが必要と考えられます。

体への負担が大きくなる手術には、切除範囲が広い手術、複雑な再建（つなぎなおし）が必要な手術、過去に手術を受けたことがあり、癒着が予想される場合（手術時間が長くなったり、出血量が多くなったりする可能性がある）、などがあります。

あなたに必要な「個別のプレハビリテーション」を計画する

「がんの手術前にやるべき7か条」のうち、あなたに必要なメニューを選んで「個別のプレハビリテーション」を計画しましょう。次ページに、どのような人がどのメ

表　それぞれの患者さんに必要な個別のプレハビリテーションのメニュー

	運動		栄養サポート	精神的ケア	口腔ケア	プロバイオティクス	禁煙・呼吸訓練	持病のコントロール
	有酸素	筋トレ						
全員 （基本メニュー）	●	●	●	●	●	●		
高齢者 （80 歳以上）		●	●				●	
喫煙者 （現在・過去）							●	
持病がある人								●
歯周病が 疑われる人					●			
手術に対する 不安が大きい人				●				
運動習慣が ない人	●	●						
食事があまり とれない人			●					
肺の手術を 受ける人							●	
筋力・筋肉の量 が低下した人		●	●					

●（薄）：やってほしいメニュー　●（濃）：とくに必要なメニュー

ニューを選ぶべきかについての表を紹介します。

具体的な手術前の準備（プレハビリテーション）のメニューおよび実際のやり方については、「第2章」で詳しく説明していきます。

基本は規則正しい生活。引きこもりに注意！

まず、**がんの手術前にもっとも注意すべきことは、「引きこもらないこと」です。**

がんを告知されたとき、ほとんどの患者さんは少なからずショックを受けます。しばらくは、気持ちが沈んだ状態が続きます。なかには精神的な落ち込みがひどく、食事がほとんどとれなくなったり、仕事がまったく手につかなくなったり、日常生活に支障をきたす人もいます。

実際に、私の患者さんにも、がん告知の後でうつ状態となって引きこもってしまい、「入院日まで一度も家を出ず、家族以外のだれとも会わなかった」という人もいました。

告知後の落ち込みが強く、引きこもってしまうと、手術を含めその後のがん治療にさまざまな悪影響をおよぼします。体を動かすことが少ないので、当然、筋肉が減ります。食欲もなくなり、栄養状態も悪化するおそれがあります。

また、昔から「病気のときには安静が必要」という考え方が根付いており、がんの場合でも安静にすることがいいと思い込んでいる人もいます。実際に、がんと診断されたとたん、治療に専念するという理由で仕事を休み、お昼すぎまで寝ていたり、家でごろごろと1日中何もせずに過ごしたりする人がいます。

しかし、風邪などの感染症や、発熱をともなう消耗性の病気と違って、がんには安静は必要ないばかりか、むしろ弊害となります。活動性の低下は体力（筋力）が落ちる原因となるだけではなく、がんのことを考える時間が増えることにもつながり、精神的にもよくありません。

ですから、活動的で規則正しい生活はがん治療の基本となります。早寝早起きを心がけ、外に出て積極的に体を動かす生活を心がけましょう。

もちろんがんによる症状によっては、動作が制限されたり、これまでどおりの生活ができなくなったりすることもありますが、できるかぎり仕事も家事も続けてくださ い。極端な話、「手術前日までふだんどおり仕事に通う」といった心構えでいいのです。

不眠、睡眠障害の対策も

手術前には十分な睡眠をとりたいものです。しっかりと睡眠時間を確保することは、規則正しい生活のリズムに不可欠です。

しかし、がんと告知されてからは、夜もゆっくり眠れなくなる人が多くなってきます。不眠や熟睡できない日が重なると、体の調子を整えるホルモンバランスが崩れますし、免疫システム（抵抗力）も弱くなります。その結果、手術後の回復やその後の治療経過にも悪影響を与える可能性があります。

実際に、手術前の睡眠障害が術後の経過に影響をおよぼすという研究結果が報告されています。

手術を予定している乳がん患者108人について、術前の睡眠の質と術後経過との関係について調査した研究です。睡眠の質は、睡眠時間、入眠するまでにかかる時間、主観的な睡眠の質、睡眠中に目が覚める回数などについての詳しいアンケート調査で評価しました。

その結果、手術前に睡眠の質が低い（つまり、しっかり眠れていない）グループでは、術後のひどい痛みを訴えることが多くなり、追加の痛み止めが必要な患者が増えていました。さらに、手術前の睡眠の質が低い患者では、術後合併症が多く、入院期間が長くなるという結果でした。

したがって、手術前には不眠を克服し、睡眠の質を高めることが重要です。不眠を克服するには、まずは不眠の原因をさぐることが大切です。がん患者さんにみられる不眠（睡眠障害）の原因としては、次のものが考えられます。

- **がんの症状（痛み、嘔気、発熱、倦怠感など）**
- **がん治療（抗がん剤など）にともなう症状（副作用）**
- **心理的原因（手術、がんの進行、死に対する不安、イライラ、生活、家族の心配など）**
- **精神的原因（うつ病、せん妄など）**
- **長時間の昼寝、活動性の低下**

実際には、「何となく目が覚めてしまって眠れない」というように、はっきりとした原因がわからないこともあります。しかし多くの場合、上記の原因がいくつか重なって不眠を引き起こしています。

まずはあなたの不眠の原因をつきとめ、可能ならばその原因を取り除きましょう。たとえば、がんによる痛みが原因でぐっすり眠れない場合、鎮痛剤の量を増やす（あるいは変更する）必要があります。また、術前に抗がん剤治療を行っている患者さんは、副作用で不眠になることもあります。遠慮せず主治医に相談してください。

自分でできる不眠対策

患者さん自身でできる不眠対策を紹介します。

- 昼寝はほどほど（20～30分程度）にする。
- 夕食は早めに済ませ、夜食（とくに寝る前3時間）はできるだけ食べない。
- コーヒーやお茶などカフェインを含む飲み物は夕方～寝る前（できれば午後

3時以降）には飲まない（飲むのならカフェインの入っていないカモミールティーなどを）。
- ●夕食後に軽い運動（ウォーキングなど）やストレッチをする（はげしい運動はしない）。
- ●寝る前2時間は、テレビ、パソコン、スマートフォン、タブレットなどは見ない。
- ●ゆっくりとぬるめのお湯で入浴する（半身浴がおすすめ）。
- ●眠るための環境を整える。
  - ・部屋は暖めすぎず冷やしすぎず快適な温度に設定する。
  - ・寝室の照明はできるだけ暗くする。
  - ・鎮静効果のあるアロマ（ラベンダー、カモミール、オレンジスイート、ネロリ、セドロール、バニラなど）をたく。
  - ・ここちよい枕や寝具を選ぶ（最近では、それぞれの体型にあった枕などが販売されています）。

自分でできる対策をしても不眠が解消されない場合には、不眠の薬やサプリメントを使うという手段もあります。睡眠薬（睡眠導入剤や抗不安薬など）について主治医と相談してください。主治医に言い出しにくい場合には、かかりつけ医に相談することをおすすめします。「眠れないくらいで……」と遠慮せずに積極的に医療者側に、はたらきかけることが大事です。

この場合、不眠のタイプ（寝付きが悪い、途中で目覚める、熟睡できないなど）によって使用する薬が違うので、どのような感じで眠れないのかを詳しく伝えましょう。また、睡眠薬には副作用もありますので、医師の指示を守って適切に服用しましょう。

薬以外のものとしては、入眠をうながす目的で夕食後にメラトニンのサプリメントを飲むという方法があります。メラトニンは、脳の奥深くにある松果体（しょうかたい）から分泌されるホルモンで、体内時計を調節し、自然な睡眠をもたらす役割を持っています。一方で、メラトニンには、さまざまながん（乳がん、大腸がんなど）に対する抗がん作用や免疫細胞を活性化するといった作用が報告されており、がん患者さんにはおすすめのサプリメントでもあります。

メラトニンは一般のドラッグストアなどでは購入できませんが、海外からのサプリメントを輸入販売している代理店などから購入できます。

なお、日本では２０２０年からメラトニン含有薬は、「小児期の神経発達症にともなう入眠困難」に対して保険適用となり、処方薬として使用できるようになりました。

最後に、眠れないとき、「早く眠らないと！」とあせるとかえって眠れなくなることがあります。目を閉じて眠くなるまでリラックスして待ちましょう。必要な睡眠時間は人によって違います。必ずしも毎日7～8時間ぐっすりと眠れなくても大丈夫です。

以上、がんの手術を成功させるための基本は、まずは「手術日まで引きこもらず、しっかりと睡眠をとり、規則正しい生活を送ること」です。

そのうえで、「がんの手術前にやるべき7か条」から自分に必要な項目をピックアップし、個別のプレハビリテーションを計画・実施していきましょう。

第2章

プレハビリテーションの基本メニュー

運動（有酸素運動＋レジスタンス運動）

さて、ここから実践編が始まります。まずはプレハビリテーションのもっとも重要なメニューとなる運動についてです。では、どうして手術前に運動が必要なのでしょうか？

手術（および麻酔）によるストレスは、少なからず体のバランスを維持するシステム（ホメオスタシス）に変化をきたし、ダメージを与えます。これを、手術侵襲と呼びます。

手術の直後から数日間はエネルギー消費量（基礎代謝率）が増加し、飢餓状態のときのように糖新生（糖質以外の物質からグルコースを生産する経路）が進みます。このとき、体内で必要なエネルギー（糖分）をつくるために、筋肉（とくに体を支え、運動に欠かせない骨格筋）のタンパク質が分解されるのです。つまり、筋肉（骨格筋）

は体を動かすことの他に、エネルギーを蓄える重要な貯蔵庫でもあるのです。

手術のときに筋肉が減っていて十分なタンパク質のストックがない場合、手術の直後から体内のタンパク質（アミノ酸）が急激に減っていきます。その結果、本来体が持っている「傷を治す力（創傷治癒力）」や「細菌などの感染から体を守る力（免疫機能）」が失われてしまい、手術でつないだところがうまくつながらなかったり、いろいろなところが感染したりといった

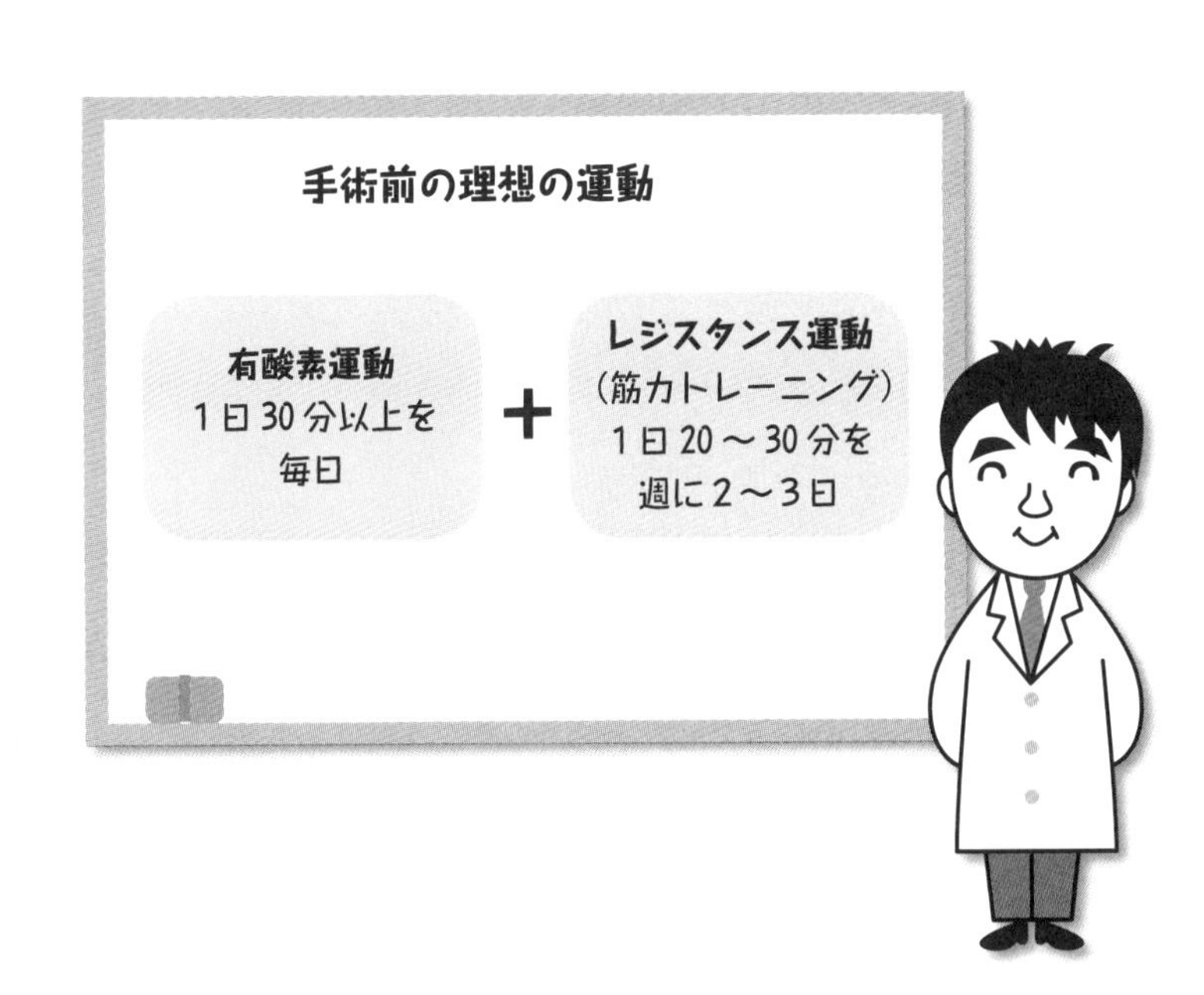

合併症のリスクが増えていきます。

さらに、手術侵襲によって筋肉が分解されるだけではなく、自律神経（交感神経と副交感神経）やホルモンのバランスが乱れ、また炎症によって体に悪影響をおよぼす物質（炎症性サイトカイン）が血液中に放出されます。

手術の種類（切除する範囲など）によっては、手術侵襲によって術後3日～1週間くらいは軽いショック状態となります。極端な例ではありますが、大きな手術の後には「フルマラソンを完走した後」のような憔悴しきった状態におちいることもあるのです。

考えてみてください。あなたがフルマラソンの大会に出場することが決まったとします。もし日ごろからマラソンの練習をしていれば、とくに事前の準備は必要ないかもしれません。ところが、ふだん運動する習慣がない人が、練習もせずにいきなりフルマラソンに挑戦したらどうなるでしょうか？　おそらく途中できつくなって完走できないでしょうし、たとえ完走できたとしても翌日から筋肉痛でしばらく動けなくなるかもしれません。

手術前のがん患者さんも、マラソンの準備と同様、心肺機能および筋肉量を増加させるトレーニングの必要があるのです。

手術前にはどんな運動をすべきか？

手術を控えたがん患者さんには、どのような運動がどの程度必要なのでしょうか？

まず運動の種類としては、有酸素運動とレジスタンス運動（いわゆる筋力トレーニング）の両方が必要です。実際に、過去に報告されている多くのプレハビリテーションの運動メニューとして、有酸素運動とレジスタンス運動を組み合わせたプログラムが採用されています。

理想的には、**有酸素運動（30分以上）を毎日、レジスタンス運動（20〜30分）を週に2〜3日**行うのがいいでしょう。

有酸素運動

有酸素運動では、ウォーキング、ジョギング、サイクリング（エアロバイク）、エアロビクス、スイミング、水中エアロビクス（アクアビクス）などから、無理なく続けられるものを選びましょう。手軽に始められるものとしては、ウォーキングがいいでしょう。

ウォーキングの場合、もちろん自分のペースで歩いてもらっていいのですが、できれば少し息がはずむ程度の「早歩き」を目指しましょう。可能であれば心拍数を測定し、**最大心拍数**の60〜70％を目標にします（運動の習慣がなく、少しの運動で息があがる人の場合は、40〜50％程度）。最大心拍数とは、２２０から年齢を引いた数で、年齢とともに少なくなります。たとえば60歳の人であれば最大心拍数は２２０−６０＝１６０です。

信州大学学術研究院医学系特任教授の能勢博氏が提唱する「インターバル速歩」は、心肺機能を高めるために非常に効率がいい運動です。インターバル速歩とは、ふだん

歩きより大きめの歩幅の「ややきつい」と感じる速歩とゆっくり歩きを組み合わせたものです。具体的には、速歩（3分）とゆっくり歩き（3分）を1セットとして1日5セット以上（合計で30分間）、週4日以上くり返すことをすすめています。慣れてきたら、この「インターバル速歩」を取り入れてもいいと思います。

レジスタンス運動

1　屈伸運動（スクワット）

1セット20回を目標に、2〜3セット行いましょう。

❶軽く肩幅程度に足を開いて立ちます。

❷ゆっくりと膝を曲げていきます（このとき、膝がつま先

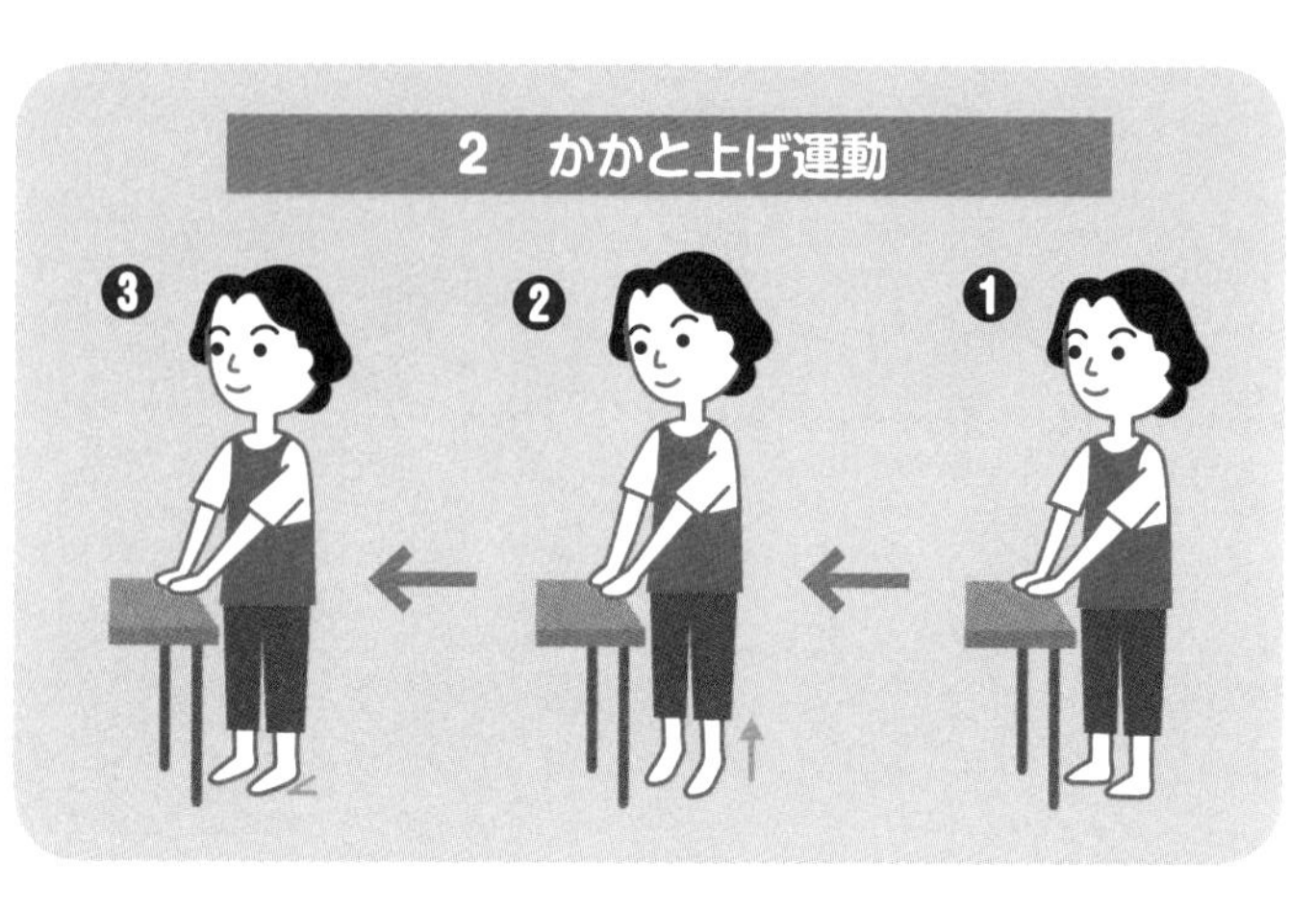

よりも前に出ないように注意します）。

❸お尻と膝が同じ高さになったら、ゆっくりと戻していきます（立ち上がる際、膝を伸ばしきらないようにしましょう）。膝を深く曲げると負荷が大きくかかるため、慣れないうちは浅く（膝が45度くらいの角度）曲げるところから始めましょう。

2　かかと上げ運動（カーフレイズ）

1セット20〜30回を目標に、3セット行いましょう。

❶椅子や壁などを支えにし、軽く肩幅程度に足を開きます。
❷つま先に力を入れてかかとを上げ、もっとも上がったところで1秒程度キープします。
❸ゆっくりとかかとを下ろします。

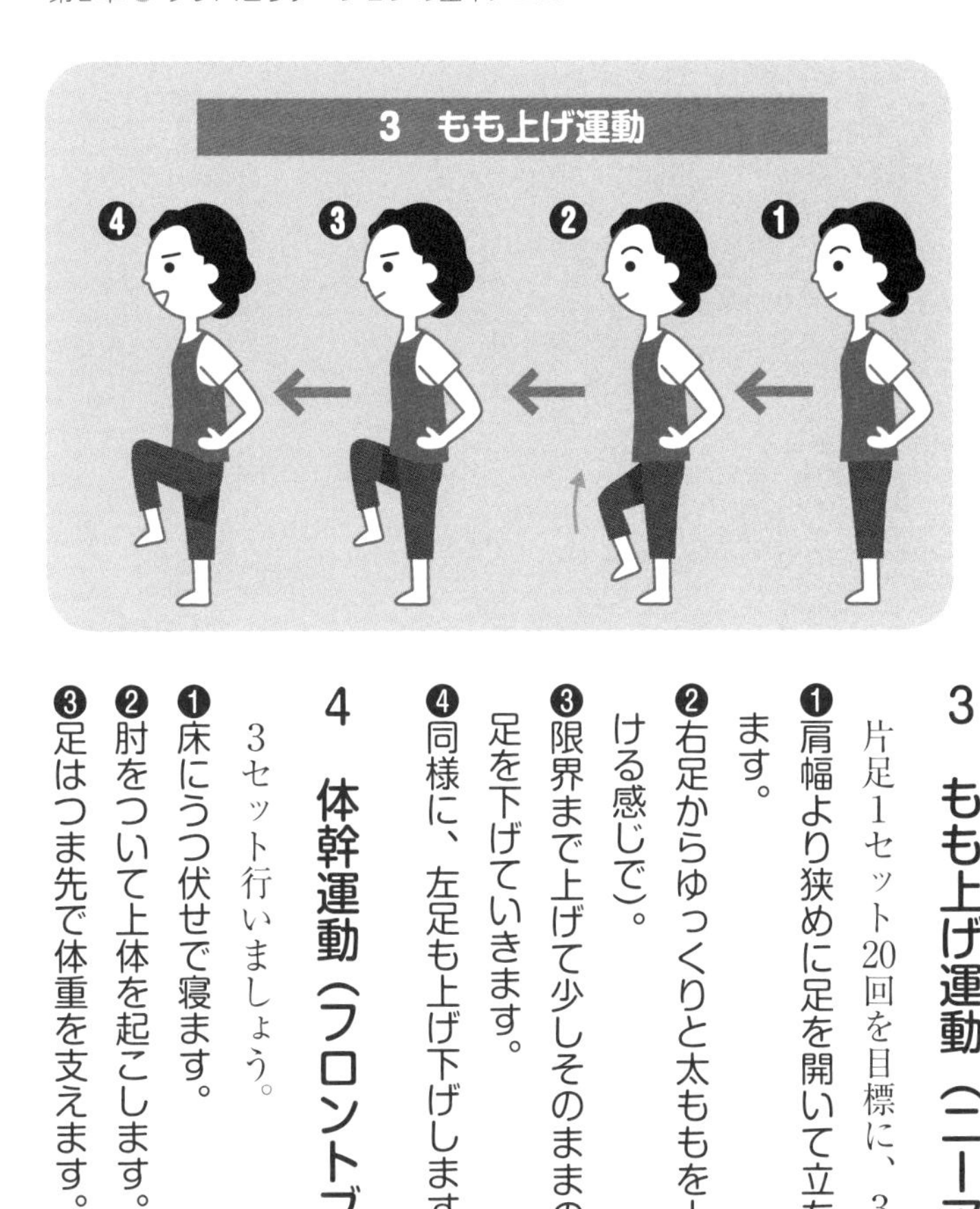

3 もも上げ運動（ニーアップ）

片足1セット20回を目標に、3セット行いましょう。

❶肩幅より狭めに足を開いて立ち、背筋をまっすぐ伸ばします。
❷右足からゆっくりと太ももを上げます（膝を腹部に近づける感じで）。
❸限界まで上げて少しそのままの姿勢を保ち、ゆっくりと足を下げていきます。
❹同様に、左足も上げ下げします。

4 体幹運動（フロントブリッジ［プランク］）

3セット行いましょう。

❶床にうつ伏せで寝ます。
❷肘をついて上体を起こします。
❸足はつま先で体重を支えます。

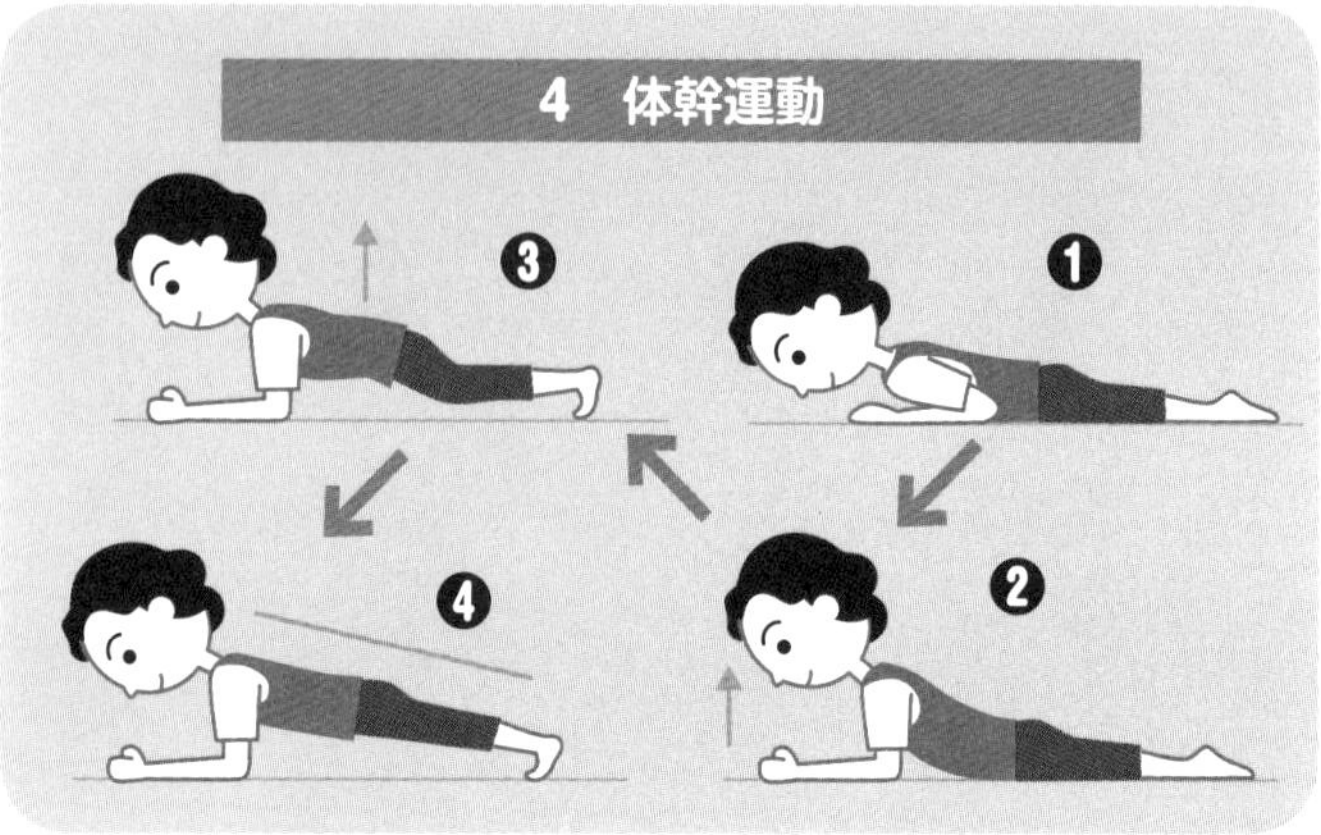

4　体幹運動

❹体を一直線になるようにし、1分間キープします（1分が難しい場合には30秒）。

5　ダンベル運動

1セット20〜30回を目標に3セット行いましょう。

ダンベルの代わりに、水を入れた取っ手つきのペットボトル（重さは自分で調節可能）でも可能です。

❶肩幅と同じくらいにして背筋を伸ばして立ちます。
❷2kg程度のダンベルを両手で握ります。
❸両手で肩の位置まで上げます。
❹持ち上げたら、その状態を2秒間キープします。
❺ゆっくり下ろしていきます。

6　腕立て伏せ（プッシュアップ）

10回を1セットとして、3セット行います。

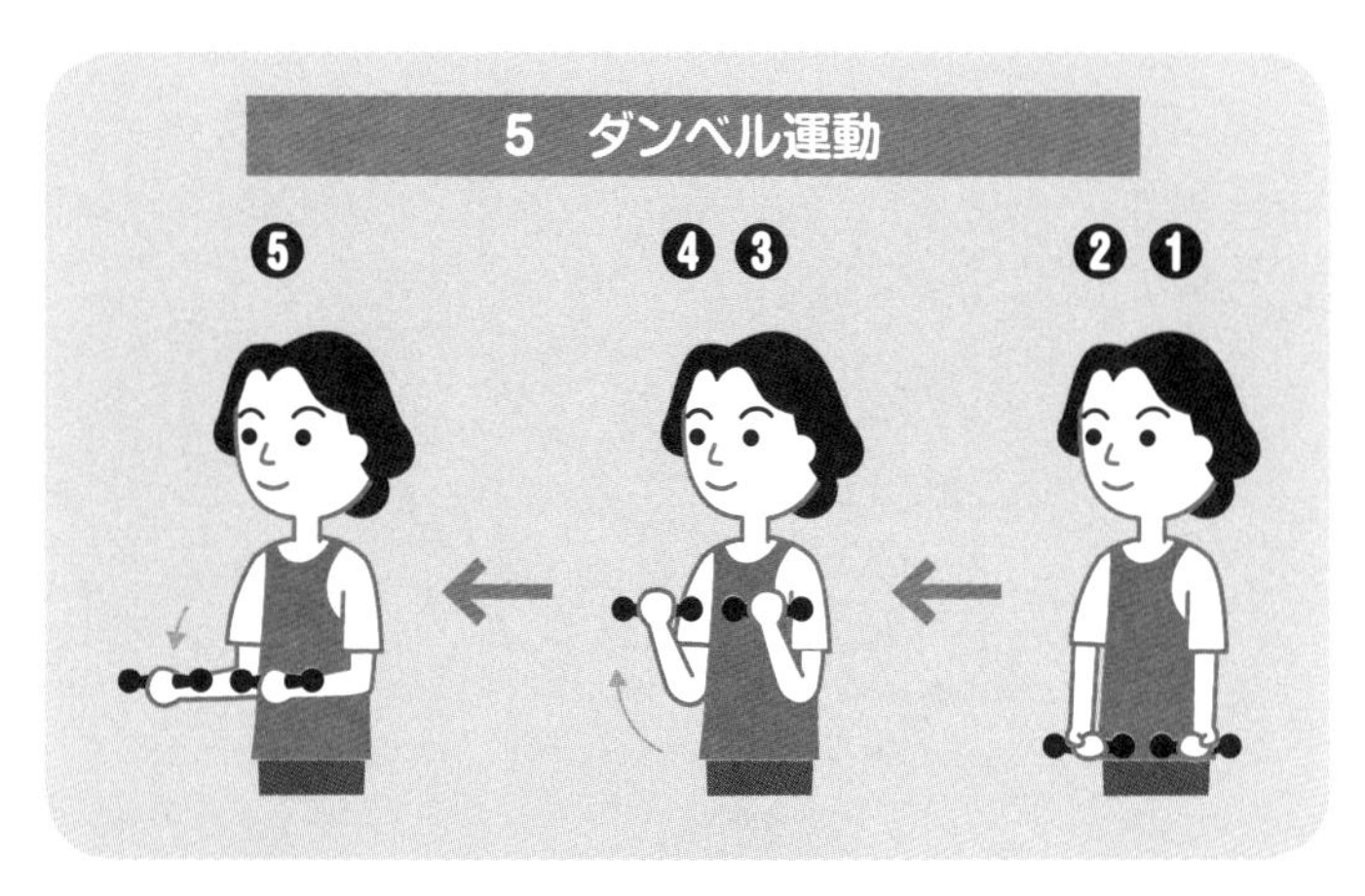

腕立て伏せが難しい人は膝をついて行うか、壁に斜めに手をついて、同様の運動（斜め腕立て伏せ）を行いましょう。

❶両手を肩幅程度に開き、床に手をつきます。

❷体を曲げないように保ち、ゆっくりと腕を曲げ伸ばしします。

以上の筋トレから、下半身の運動、体幹運動、および上半身の運動を組み合わせ、全体として20～30分間のレジスタンス運動を週に2～3日行いましょう。次ペー

表　1週間の筋力トレーニングのメニュー例

月曜	スクワット、かかと上げ運動、体幹運動、ダンベル運動、腕立て伏せ
火曜	休み
水曜	スクワット、もも上げ運動、体幹運動、ダンベル運動、腕立て伏せ
木曜	休み
金曜	スクワット、かかと上げ運動、体幹運動、ダンベル運動、腕立て伏せ
土日	休み

ジに、1週間のメニューの例をあげています。

レジスタンス運動の注意点は、負荷（ダンベルの重さなど）を大きくしすぎないこと、筋肉痛がひどいときや、きついと感じた場合には回数を減らすことです。

ただ、最初きついと感じても、徐々に筋肉がついてきて楽になってきますので、あせらず続けることが大切です。

スポーツジムのメリット

これまで運動をしてこなかった人は、スポーツジム（フィットネスクラブ）に通うのもひとつの方法です。

私は、がんの手術前、治療中、また治療後のすべての人が運動を無理なく継続するために、スポーツジムが理想的であると考えています。

今までジムに行ったことがない人もいらっしゃると思いますが、私はそうした人に「思い切って入会してみてはどうですか?」と言っています。「がんになってから入会するなんて?」と思われるかもしれませんが、私に言わせると「がんになったからこそ入会する」のです。

では、がん患者さんがスポーツジムに通うメリットにはどのようなものがあるのでしょうか?

1 有酸素運動とレジスタンス運動が同時に可能

プレハビリテーションでは、有酸素運動(ウォーキング、ランニング、エアロバイク、スイミングなど)とレジスタンス運動(筋力トレーニング)の両方を行うことが理想的ですが、多くのスポーツジムではこの両方を同時に行うことが可能です。

とくにがんの手術前には、短期間でも有酸素運動に加えてレジスタンス運動を行い、筋肉量(筋力)を維持・増加させることが術後合併症の減少につながります。

2　天気を気にせずに安心して運動できる

晴れた日には外で運動するのがいいですが、天気が悪い日には続けられないこともあります。スポーツジムでは天気に関係なく、毎日続けられるというメリットがあります（定休日はありますが……）。

また屋外では、1人で運動していて何か異常が起こった場合、まわりに人がいなくてサポートが得られない可能性があります。一方、ほとんどのスポーツジムではスタッフが気を配っていますので、気分が悪くなった場合など、何かあったときに対応してくれるので安心です。

なお、最近24時間営業のスポーツジムが増えてきていますが、早朝や深夜など時間帯によっては、スタッフが常駐していないこともありますので、そのようなジムを使用する際は、スタッフがいる時間帯の利用をおすすめします。

3　専門のトレーナーによる指導が受けられる

多くのジムでは、専門のスタッフによる個別指導が受けられます。

運動（とくにレジスタンス運動）は自己流でやるよりも、トレーナーにあなたに合ったプログラムを組んでもらうほうが安全で効果的です。これまで運動習慣のなかった人が運動を始める場合には、とくに指導が必要です。遠慮せずに相談してみましょう。

4 他の人と接する機会が増える

自分ひとりで運動するよりも、ジムで他の人に囲まれているほうが楽しく運動できます。

また、運動後に大きなお風呂につかったり、サウナで友達と楽しく会話したりすることもストレス解消になります。

ジムのスタッフやトレーナーさん、あるいは気の合う仲間や友達と接することは、ともすれば孤独になりがちながん患者さんにとって精神的にもプラスとなります。

5 目標（生きがい）ができる

がん患者さんにとって、目標（生きがい）を持って毎日を過ごすことはとても重要です。

体を動かして汗をかくことはストレス発散になりますし、スポーツジムに通うことを習慣にすると、「毎日（あるいは週に3日）通う」という目標が生まれます。

また、スポーツジムではエアロビクスやダンス、ヨガなどのプログラムがありますが、これらに参加することで、「もっと振り付けを覚えたい」「好きなインストラクターに会いたい」「毎週このプログラムに参加したい」といった目標が生まれることもあります。

がん患者が運動をする場合の注意点

がん患者さんが運動をする場合の注意点をあげておきます。

1　主治医に相談し、無理のない範囲で運動する

がんの種類や治療（手術前の抗がん剤や放射線治療）によっては、運動を控えたほうがいい場合もあります。主治医に確認し、無理のない範囲で運動しましょう。

貧血がひどい場合や、心臓や肺が悪い人では運動がすすめられないこともあります。

2 負荷を上げすぎない

レジスタンス運動では、関節や骨に負担がかかりすぎないように、マシンの負荷（おもり）を上げすぎないようにしましょう。また、運動前と運動後には入念にストレッチを行い、全身の筋肉をほぐしましょう。

3 疲れている場合には休む

疲れているときや、運動を始めてきついと感じるときには無理をせずに休みましょう。翌日にあらためて運動を再開してください。

がんの手術前にはできる範囲で運動し、持久力と筋力アップを目標にしましょう。

栄養状態を改善する食事療法

術前の栄養状態を高める食事とは？

手術前に、運動と並んで重要なのが「食事」です。実際に、多くのプレハビリテーションのプログラムに食事またはサプリメントによる栄養サポートが組み込まれています。

外来で、手術前のがん患者さんの栄養状態を評価すると、かなりの割合で悪化している人がいます。これには、いくつか理由があります。

まず、がん患者さんは、告知のショックやがんの症状そのものが原因で食欲が低下しています。手術前に、抗がん剤や放射線による治療を行う場合もありますが、副作用で食欲がさらに低下することもあります。実際に「食事がとれなくて困っている」と相談を受けることがよくあります。そのような患者さんには、食事の回数や1回の食事量を減らし、食事の回数や間食を増やすようにアドバイスしたり、食欲増進につながる薬を投与したりすることなどで対応しています。

また、一部のがん患者さん（とくに消化器がん）は、消化・吸

収障害や慢性炎症などによってタンパク質の消費・分解が進んでいます。

このような理由から、がん患者さんでは栄養状態が悪化します。とくにタンパク質が不足し、筋肉や筋力が減少する傾向があります。

したがって、術前にはタンパク質をしっかりとることに重点を置いた食事を心がけることが大切です。

がんの手術前に必要なタンパク質摂取量は?

一般的に、1日あたりのタンパク質の平均必要量（推奨量）は、成人で体重1kgあたり0・8~1gといわれています。つまり、体重50kgであれば、1日に50gのタンパク質が必要ということです。

さらに、運動習慣のある人では体重1kgあたり1・2~1・5g、筋肉をつけたい人では2・0gが望ましいといわれています。

したがって、**がんの手術を控えて運動もしている人には、体重1kgあたり1・5g（体**

図　食品別タンパク質の目安量（赤い数値がタンパク質量）

（出典：「日本食品標準成分表」）

表　体重別タンパク質摂取量の目安

体重（kg）	タンパク質摂取目標量（g）
40	60
45	67.5
50	75
55	82.5
60	90
65	97.5
70	105

重50kgであれば、1日に75g）のタンパク質摂取を目標にしてほしいと思います。

食品別のタンパク質量の一覧表をインターネットなどからコピーして手元に置いておき、食事メニューを考えるときに利用しましょう。

タンパク質が豊富に含まれる主な食品には、肉、魚、卵、豆類、乳製品があります。おおざっぱにいえば、**タンパク質の量は肉（牛、豚、鶏肉）では100gあたり20g前後、豆腐は1丁（約300g）あたり20g程度、卵は1個で6g程度、牛乳はコップ1杯（200mL）あたり6・5g**です。

これらを上手に組み合わせて、1日に必要なタンパク質がとれるようにメニューを考えましょう。

手術前の理想的な食事メニューを紹介します。たとえば、朝昼夕の食事ごとに肉を握りこぶし程度（およそ100g）、または魚1切れ（およそ100g）のどちらかを必ず食べるようにすると、

手術前の理想的な食事メニューの例

（各メニューの数値は１食分のおよそのタンパク質量）

朝食例

メニュー	タンパク質
塩鮭	17g
納豆	6 g
豆腐とわかめの味噌汁	4 g
ごはん	3 g
合計	30g

昼食例

メニュー	タンパク質
豆腐ハンバーグ	20g
あさりのクラムチャウダー	7g
ロールパン	3g
合計	30g

夕食例

メニュー	タンパク質
豚のしょうが焼き	18g
とり肉だんご汁	9g
ごはん	3g
フルーツ	0g
合計	30g

これだけでタンパク質が20g×3で60gになります。これに、豆腐、卵、乳製品などで必要な量まで足し算していくといいでしょう。

これらにより、体重60kgの人が1日に必要なタンパク質（90g）がとれます。このように、手術を控えた患者さんは、タンパク質の摂取量を意識しながら食事メニューを工夫しましょう。

プロテインでタンパク質を補充

一方で、この量のタンパク質を食事だけでとることは、結構たいへんです。そこで、「プロテイン」で補うことをおすすめします。

プロテインには、ホエイプロテイン、ソイプロテイン、あるいはカゼインプロテインなどがありますが、吸収の早いホエイプロテイン（乳清タンパク質）がおすすめです。ドラッグストアやインターネットの通販などで購入することができます。

商品によって違いますが、通常1食分でタンパク質が15〜25g摂取できます。たとえば、1日2回食事と同時にプロテインを飲むと、およそ40gのタンパク質が補われることになります。通常、パウダー状のものを水などに溶かして飲みますが、牛乳や豆乳に溶かして飲めばさらにタンパク質の摂取量が増えます。

以前は「プロテインはマズい」ことで有名でしたが、最近のプロテインは正直おいしいです。また、さまざまな味やフレイバーのプロテインが販売されていますので、好みのものを選んでください。

手術前におすすめの栄養補助食品

食欲がない患者さんや、がんの症状によって食事があまりとれない患者さんは、栄養補助食品によって必要な栄養素を補うことを考えてもいいでしょう。

現在、さまざまな栄養補助食品が通販などで入手できます。いくつかおすすめのものを紹介します。

インパクト® (ネスレ日本株式会社)	
量 (1本あたり)	125mL
カロリー	110Kcal
タンパク質	10.5g
脂質	4.1g
炭水化物	7.8g
その他	EPA・DHA 640mg、 アルギニン 2,400mg

インパクト®は、多くの臨床研究において手術の合併症を減らす効果が確認されています。インパクト®を手術の前後に栄養補助食品として摂取することで、感染性の合併症を39〜61%減らすことができ、また入院期間を平均2日間短縮することができたと報告されています。

プロシュア®には、炎症を抑える作用があるオメガ3不飽和脂肪酸であるEPAが含まれているのが特徴です。

こういった市販されている栄養補助食品は、実際のプレハビリテーションでも使用されています。

また、栄養状態が悪い患者さんは、主治医に相談して、経腸栄養剤（エンシュアリキッド®やエンシュア®・Hなど）を処方してもらうのもいいでしょう。

こちらは薬店や薬局にて自分で選んで買うことが

エンシュアリキッド® （アボット ジャパン株式会社）	
量 （1本あたり）	250mL
カロリー	280 Kcal
タンパク質	8.8g
脂質	8.8g
炭水化物	34.3g

プロシュア® （アボット ジャパン株式会社）	
量 （1本あたり）	220mL
カロリー	280 Kcal
タンパク質	14.6g
脂質	5.6g
糖質	40.3g
その他	EPA 1.0g、 DHA 0.4g

できる一般用医薬品ではありません。医療医薬品のため医師の処方箋が必要です。

自分の栄養状態を把握する方法

手術を控えたがん患者さんは、できれば自分の栄養状態を知っておきたいものです。

では自分の栄養状態を知る方法はあるのでしょうか?

もちろん主治医に直接聞いてもいいのですが、検査値などから自分で調べることもできます。

栄養状態をあらわす指標は?

栄養状態を評価する指標にはさまざまなものがありますが、そのなかでも簡便でもっともよく使われるマーカーが**血清アルブミン値**です。

血清アルブミンの基準値(正常値)は、測定法や測定機器によって多少ばらつきがありますが、一般的に4.0g/dL(グラム・パー・デシリットル)以上とされています。

図　術前の血清アルブミン値が低いと生存期間が短縮
（卵巣がん患者での検討）

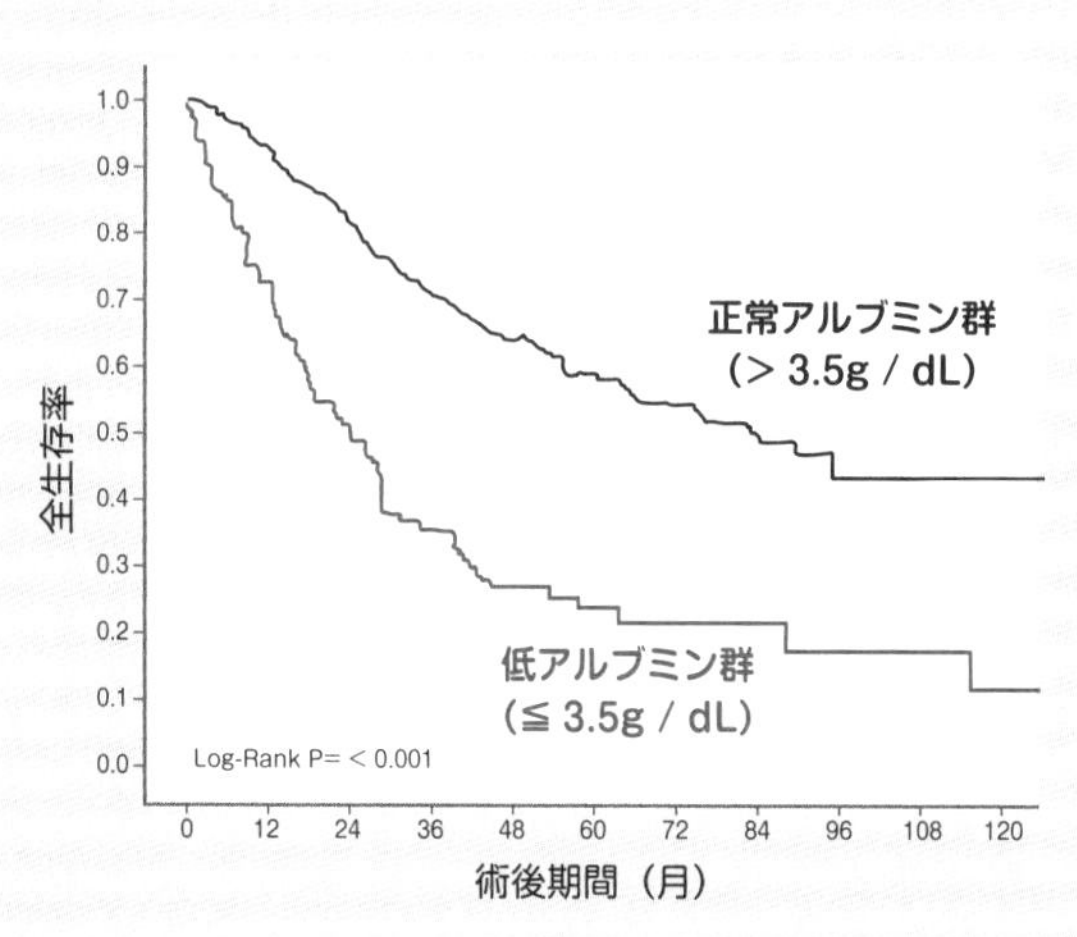

（Ataseven B, et al. Gynecol Oncol. 2015, 138, p.560-565. より作成）

アルブミンが4・0g／dL未満、とくに**3・5g／dL以下の場合は栄養障害が疑われます**。

術前の血清アルブミン値が低いがん患者は、術後の合併症リスクが高くなり、生存期間も短くなるということが報告されています。

手術を受けた卵巣がん患者604人を対象とした研究によると、術前に血清アルブミン値が低いグループ（3・5g／dL以下）では、正常なグループに比べ、重症の合併症が起こるリスクが3・65倍も高くなっていました。さらに、血清アルブミン値が低いグループの全生存期間（中央値）は24か月であり、正常なグループの83か月に比べ、有意に短いという結果でした。

膀胱切除、腎臓摘出（部分切除）、あるいは前立腺切除など泌尿器系のがんに対する手術を受けた1万7千人以上の患者についての大規模な解析では、術前の血清アルブミン値の低下（3・5g／dL未満）があったグループでは、正常なグループに比べて、重症の合併症がおよそ3倍も多くみられ、術後30日以内の死亡率が7倍以上にもなっていました（正常アルブミン群0・6％、低アルブミン群4・4％）。

このように、術前にアルブミン値が低下している患者は、術後の合併症や死亡率が増え、最終的には生存期間が短くなることが示されています。

また、アルブミン値よりも栄養状態をより的確に反映し、多くの研究に使われているのが予後栄養指数（PNI：Prognostic Nutritional Index）です。このPNIですが、

PNI＝（10×Alb）＋（0・005×TLC）

の式で計算できます。ちなみに、Albは血清アルブミン値（g／dL）で、TLCは総リンパ球数（／μL）です（総リンパ球数は、白血球数×リンパ球の割合で計算できます）。つまりPNIは、血液中のアルブミンというタンパクの量と、免疫に関係す

るリンパ球の数を足したもので、栄養と免疫の状態を同時に評価できるすぐれた指標なのです。

たとえば、血清アルブミン値が４・２g／dL以下で、白血球数が８０００／μL（リンパ球30％）の場合、総リンパ球数は８０００×０・３＝２４００となりますので、PNI＝（10×４・２）＋（０・００５×２４００）＝54となります。どちらも手術前の血液検査で調べることが一般的ですので、主治医から検査データのコピーをもらいましょう。

このPNIが高ければ高いほど栄養（免疫）状態がいい（低ければ悪い）ということになりますが、一般的には正常値（栄養障害のない患者さん）は50～60です。

また、消化器がんの手術において、消化管の切除および吻合（ふんごう）（つなぎなおすこと）が必要な場合、PNIが45以上であれば「手術可能」、PNIが40～45だと「注意が必要」、またPNIが40以下だと「切除・吻合は禁忌（きんき）（危険なのでしてはいけない）」とされています。

また、多くのがん（とくに消化器系のがん）で、術前PNIと術後合併症の発生率および術後生存期間（予後）との関係が指摘されています。

たとえば、手術を行った胃がん患者260人について、術前のPNIと術後の生存期間との関係を調査した日本の研究報告によると、術前のPNIが低い（47未満）患者では、術後の合併症の発生が増加し、さらに全生存期間と無再発生存期間がともに短い（長期予後が悪い）という結果でした。

同様に、大腸がん患者3569人を対象とした研究でも、PNIが低くなるにつれ、術後合併症の発生率が高くなり、入院期間が延長し、さらに生存期間が短くなるという結果でした。

このように、**血清アルブミン値やPNIが低い患者さん（アルブミン値は3・5g／dL以下、PNIは45以下）では、とくに重点的な栄養サポート（たとえば栄養補助食品など）が必要であるといえます**。

自分の検査データから栄養状態を知り、術前にできるだけ維持・改善することはとても大切になってきます。主治医とも相談しながら、もっとも効率のいい栄養サポートの方法を考え、実践しましょう。

不安や心理的ストレスを軽減する精神的ケア

プレハビリテーションの3つめの柱は、精神的ケアです。なぜ手術前のがん患者さんに精神的ケアが必要なのでしょうか？

手術を控えたがん患者さんは精神的に不安定

患者さんはがんの診断により、大きな心理的ショックを受けます。たとえ検査結果を待っている間にある程度覚悟をしていたとしても、実際にがんの告知を受ける衝撃は相当なものです。

頭の中が真っ白になり、自分ががんであることを信じようとしなかったり、否定しようとしたりする心の動きが起こります。しばらくは、気持ちが落ち込み、何も考えられない状態が続くこともあります。海外からの報告によると、がん患者さんのおよそ半数が、適応障害（睡眠障害や食欲不振などの症状によって日常生活に支障をきたす状態）やうつ病と診断されるといわれています。

その後、徐々に落ち着きを取り戻し、「がんであるという現実」を受け入れることができるようになります。個人差はありますが、治療に向き合うことが

がんや手術に対する
不安・心配を減らすためのコツ

- 手術のネガティブな面を考えすぎない
- がんサロン（患者会）に参加する
- マインドフルネス瞑想を取り入れる
- 医療スタッフに相談する

できるようになるまでには、1〜3週間かかるといわれています。

とはいえ、がん告知の精神的ショックがなくなるわけではありません。多くの患者さんが、がんや治療に対する漠然とした不安やストレスを抱えたまま日常生活を送るのです。とくに、手術を控えたがん患者さんは、手術に対する恐怖や不安も加わることになりますので、精神的に非常に不安定になります。

本来ならば、がんの手術を控えた患者さんには、専門家による精神状態の評価と、それに応じたケアが必要です。しかしながら、手術前の忙しい外来では、このような精神的苦痛を解決する手段についてじっくりと相談する時間がありません。このため、多くの患者さんは心の健康を害したまま手術に突入することになります。

あなたの精神的苦痛を評価する方法

がん患者さんのほぼ全員に精神的苦痛が認められますが、その程度は人によってさまざまです。

なかには「がんのことは心配だが、あまり悩んでいない」という人もいるでしょうし、がんや手術のことが1日中頭から離れず、生活に支障をきたしている人もいるかもしれません。自分がどのくらい精神的障害があるのかを客観的に調べることができるテストがあります。

「精神健康調査票（GHQ－12）」は、1978年に英国モズレー精神医学研究所のゴールドバーグ博士によって開発された質問紙法によるテストであり、精神医学的障害のスクリーニングに用いられています。次ページで日本語バージョンを紹介していますので、是非セルフチェックしてみてください。

一般的には、合計スコアが0～3までは問題なく、4または5以上であれば気分・不安障害や何らかの病気である可能性が高いとされています。しかし、がん患者さんの場合、（とくにがん告知からしばらくの間は）少なからず不安や精神的ストレスがありますので、スコアが高くなることが予想されます。

明確な基準はないのですが、もし、あなたのスコアが7以上の場合、精神的苦痛が強いと考えられます。専門的な治療が必要となることもありますので、医療スタッフに相談してみてください。

表　精神健康調査票（GHQ-12）

1	何かをする時いつもより集中して……	できた / いつもと変わらなかった
		できなかった / 全くできなかった
2	心配事があって、よく眠れないようなことは……	全くなかった / あまりなかった
		あった / たびたびあった
3	いつもより自分のしていることに生きがいを感じることは……	あった / たびたびあった
		あまりなかった / 全くなかった
4	いつもより容易にものごとを決めることが……	できた / いつもと変わらなかった
		できなかった / 全くできなかった
5	いつもよりストレスを感じたことが……	全くなかった / あまりなかった
		あった / たびたびあった
6	問題を解決できなくて困ったことが……	全くなかった / あまりなかった
		あった / たびたびあった
7	いつもより日常生活を楽しく送ることが……	できた / いつもと変わらなかった
		できなかった / 全くできなかった
8	問題があった時に、いつもより積極的に解決しようとすることが……	できた / いつもと変わらなかった
		できなかった / 全くできなかった
9	いつもより気が重くてゆううつになることは……	全くなかった / あまりなかった
		あった / たびたびあった
10	自信を失ったことは……	全くなかった / あまりなかった
		あった / たびたびあった
11	自分は役に立たない人間だと考えたことは……	全くなかった / あまりなかった
		あった / たびたびあった
12	一般的にみて幸せだと感じたことは……	あった / たびたびあった
		あまりなかった / 全くなかった

ここ数週間（ただし、がんと告知されて1週間以上は経ってから）のあなたの心身の状態について、上の12の項目についてもっとも適当と思われる答えを選んでください。

項目ごとに上段の回答には0点、下段の回答には1点を与え、合計点数を計算してください。

※複数人でくり返しご使用の場合は、あらかじめコピーしてお使いください。

手術前の精神状態が合併症を引き起こす？

がん患者さんがうつなどの精神症状や心理的苦痛を抱えたまま手術を受けた場合、術後の経過が悪くなる可能性があります。手術前の精神状態と術後の経過との関係を調査した研究結果を紹介します。

膀胱がんに対して手術を受ける患者を対象として、手術前にアンケート調査によって評価した心の健康と術後合併症との関係を調査した研究では、術後に重症の合併症を起こした患者は、手術前の心の健康に関するスコアが有意に低いという結果でした。また、乳がん患者のうち、手術前に精神的苦痛がある人では、術後4か月および8か月の時点で「しつこい痛み」を訴える割合がおよそ2倍にも増えることがわかっています。同様に、他のいくつかの研究では、術前のうつ状態が手術後の痛みの原因のひとつであると報告されています。

さらに、大腸がんの手術を受けた患者８７２人の解析では、術前のうつ症状は、術後2年以内の生活の質、健康状態および幸福感の低下と深く関連していました。

このように、手術前の精神状態は術後の経過や健康状態に大きな影響をおよぼすのです。そこで、手術を控えたがん患者さんには精神的ケアが必要となってきます。

過去のプレハビリテーションの研究では、術前にカウンセリングや不安を軽減する方法のトレーニングなどの精神的ケアによって、気持ちが楽になったり、生活の質が向上したり、あるいは免疫機能が高まったという報告もあります。

日本では、がん患者さんの心のケアは軽視されがちですが、じつは手術を控えた患者さんにはとても重要なことなのです。

がんや手術に対する不安・心配を軽減する方法

実際の精神的プレハビリテーションでは、専門家（精神科医師や臨床心理士など）によるカウンセリングや不安を軽減する方法のトレーニングなどを行います。また、瞑想やイメージ療法など、がん患者さんが不安や精神的ストレスを軽くするために自分でできるさまざまな手法も報告されています。これらの方法を参考に、がんや手術に対する不安・心配を減らすためのコツを紹介します。

手術のネガティブな面を考えすぎない

多くのがん患者さんが「手術はこわい」という気持ちをいだきます。これは、「手術は痛くてつらいもの」という昔からあるイメージによるものだと思いますが、最近の医師の説明にも問題があると感じています。

通常、手術の数週間から数日前に、主治医（あるいは執刀医）から手術の方法や合併症について詳しい説明があります。その際に、実際には起こる可能性がとても低いまれな合併症や、死にいたるような最悪の事態についてもしっかりと説明するようになりました。

これは「インフォームドコンセント」とも呼ばれ、患者さんに手術に関するすべての情報を伝え、納得したうえで同意してもらうということが目的です。一方で、後々のトラブルや医療訴訟の対策として、患者さんおよび家族に、起こりうるすべての可能性について説明する義務を果たすためのものでもあります。つまり、めったに起こらない合併症によって患者さんが死亡したり重度の後遺症が残ったりした場合、後から「聞いていなかった」ということをなくすためです。

比較的リスクの低い手術を受ける患者さんに対しても、「手術後に脳梗塞、心筋梗塞、肺血栓塞栓症（エコノミー症候群）、肺炎などが起ったり、それが原因で死亡したりする可能性がある」といったお話をしますし、「この手術の死亡率は何％です」と直接的に伝えることもあります。

患者さんとしては、この何％という数字はピンとこないと思いますし、自分がその何％になって死亡することを想像してしまうかもしれません。したがって、このような説明をすべてまともに聞いていたら、こわくなって手術を受けられなくなってしまいます。患者さんはこうした説明を受けても、「めったに起こらないが、そんなこともある」という程度にとどめ、あまり深く考えすぎないようにしましょう。

また、手術後の痛みについて不安を持っている患者さんが多いのですが、最近では麻酔や鎮痛剤の進歩によってかなりコントロールできるようになっています。

もちろん、すべての医療行為にはリスクをともないます。手術や麻酔も１００％安全ではありません。ただ、可能性のきわめて低い最悪の事態について心配しても、いいことはありません。手術については「きっとうまくいく」と信じて、ネガティブな面ばかりを考えすぎないようにしてください。むしろ手術のことを忘れるくらい準備（プレハビリテーション）に没頭するのが理想です。

がんサロン（患者会）に参加する

がん患者さんには、なるべく患者会やサロンに参加して、同じ病気の人と話したり、がん治療を経験したサバイバーに質問したり、情報収集したりすることをおすすめしています。

同じ手術を受けたがん患者さんの体験談を聞くことで、不安が軽くなることがあります。また、同じ境遇を乗り越えてがんを克服したサバイバーがいることを知ることで、「自分もがんを克服できる」という前向きな気持ちになれます。

最近では、がん患者さんやがんサバイバーがネット上で情報交換できるSNSのコミュニティなども増えてきています。匿名で好きな時間に参加できますし、同じがん治療を経験したサバイバーに自分が聞きたいことを直接、質問することもできるため、たいへん便利です。

ただ、これらのがん患者ＳＮＳコミュニティサイトを利用する場合、医学的に間違った情報が伝わる可能性があること、また特殊ながん治療（代替医療、民間療法など）、高額なサプリメントなどをすすめられるといったリスクもあります。ですので、すべての情報を鵜呑みにするのではなく、あくまでひとつの例として参考にするといった付き合い方が理想です。

ページの下で代表的ながん患者ＳＮＳを紹介しています。

マインドフルネス瞑想を取り入れる

不安を減らすためのセルフケアとして、瞑想、とくにマインドフルネス瞑想を取り入れることをおすすめします。マインドフルネスとは、「今この瞬間」に意識を集中

代表的ながん患者 SNS

5years（ファイブイヤーズ）
https://5years.org/
対象：すべてのがん

Peer Ring（ピアリング）
https://peer-ring.com/
対象：乳がん・子宮がん・卵巣がん

サバイバーネット
https://sns.gsclub.jp/login
対象：すべてのがん

tomosnote（トモスノート）
https://www.tomosnote.com/
対象：すべてのがん

し、現実をあるがままに受け入れる心の状態のことをいいます。

日常生活のなかで次々にわき起こる雑念や負の感情、無駄な考えにとらわれていると、心の休まる時間がとれず、ストレスにうまく対応することができなくなってしまいます。マインドフルネス瞑想は、そんな注意が散漫になった状態から、意識を「今、ここ」に向けて集中した状態にみちびくことにより、ストレスを軽減する方法です。

マインドフルネスを使った瞑想のプログラムは、ストレス対処法のひとつとして医療などさまざまな現場で実践されており、最近注目を集めています。

欧米では、早くよりこのようながんにともなう症状の改善や、がん患者・サバイバーの生活の質を高める目的でマインドフルネスが取り入れられてきました。実際に、最近の臨床試験で、「マインドフルネスに基づいたストレス軽減プログラム」によって、乳がん患者の症状が改善し、身体的および精神的な健康が促進されたことが証明されました。

基本的なマインドフルネス瞑想の方法を紹介します。

1　静かな部屋でひとりになります。
2　座って、リラックスした状態で背筋を伸ばします。
3　目を閉じ、ゆっくりと鼻で呼吸を始めます。
4　呼吸に意識を集中し、ただお腹や胸がふくらんだり、へこんだりする動きを感じます。
5　瞑想中に、感情や雑念がわいたときは、いい・悪いという判断をせずに素直に受け入れ、再び「今この瞬間」に意識を向けます。
6　10～20分程度行ったら、ゆっくりと目を開き、少しずつ意識を戻していきます。

手術を控えたがん患者さんは、おそらく瞑想中にも「がん」や「手術」のことが頭に浮かび、不安や恐怖といった感情がわき上がってくることでしょう。マインドフルネスでは、このような感情を否定したり、無理に消そうとしたりするのではなく、ありのまま受け入れることから始まります。そして、「今ここ」に心を向けることにより徐々に無の状態に近づいてきます。瞑想を続けることによって、ストレスや不安、恐怖心が軽くなり、精神的な状態が改善されるでしょう。

マインドフルネス瞑想の詳しい方法については、『マインドフルネスストレス低減法』（北大路書房・２００７年）、『１日10分で自分を浄化する方法 マインドフルネス瞑想入門』（ＷＡＶＥ出版・２０１５年）などの本を参考にしてください。

医療スタッフに相談する

「がんのことが１日中頭から離れない」「こわくて夜も眠れない」といった日常生活に支障をきたす症状がある場合には、遠慮せずに主治医や看護師をはじめとする医療スタッフに相談してみましょう。

私たち外科医も手術をするだけが仕事ではありません。がん患者さんの相談にのり、不安や精神的ストレスを軽くする方法を一緒に考えたいと思っています。必要な場合には、精神科、心療内科、あるいは精神腫瘍医（がん専門の精神科）への受診を手配してくれるでしょう。病院によっては、緩和ケア外来や緩和ケアチームで、がん患者さんの心のケアを行うところもあります。

主治医に話しにくいという場合には、最寄りのがん診療連携拠点病院のがん相談支援センターに相談してみましょう。がん患者さんの精神的ケアの専門家を紹介してくれるでしょう。

がんや手術に対する恐怖心はだれでもいだくごく普通の反応です。ただ、人によってその程度が異なりますし、自分ではなかなか解決できないものです。とくに、精神的な症状が強くて日常生活に支障をきたすような場合には、心のケアの専門家に頼ることも必要です。

第3章

がん手術前にすべきその他のこと

持病の治療をしっかりと

最近では、持病を持ったがん患者さんが増えました。とくに高齢の患者さんでは、高血圧や糖尿病など、何かしら持病がある人が大部分です。毎日、たくさんのお薬を飲んでいる人もいらっしゃると思います。

もちろん持病があっても、しっかりと治療を受け続ければいいのですが、なかには、もらっている薬を飲み忘れたり、自己判断で中止してしまったり、あるいは病院に行かなくなったりする人もいます。

持病がうまくコントロールできてない状態や悪化した状態で手術を受けると、麻酔や手術の合併症が増加し、さらには生存率まで低下することがあります。

たとえば、食道切除術を受けたがん患者1500人以上を対象としたヨーロッパでの研究では、術前に慢性閉塞性肺疾患（COPD）、肺線維症、重症の気管支喘息などの呼吸器の持病がある人（全体の約17％）では、術後につないだところがうまくつながらずに内容物が漏れる（縫合不全）、肺炎、その他の呼吸器合併症が起こるリスクが50〜80％も高くなるという結果でした。

一方で、喘息やＣＯＰＤなどの呼吸器疾患を持ちながら手術（肺の手術以外）を受けた患者を対象とした研究によると、術前に禁煙に加えてステロイド吸入療法を導入していた人は呼吸器関連の合併症のリスクが90％以上も低くなっていました。こ

図　手術前に高血糖がある大腸がん患者は切除後の生存率が低下する

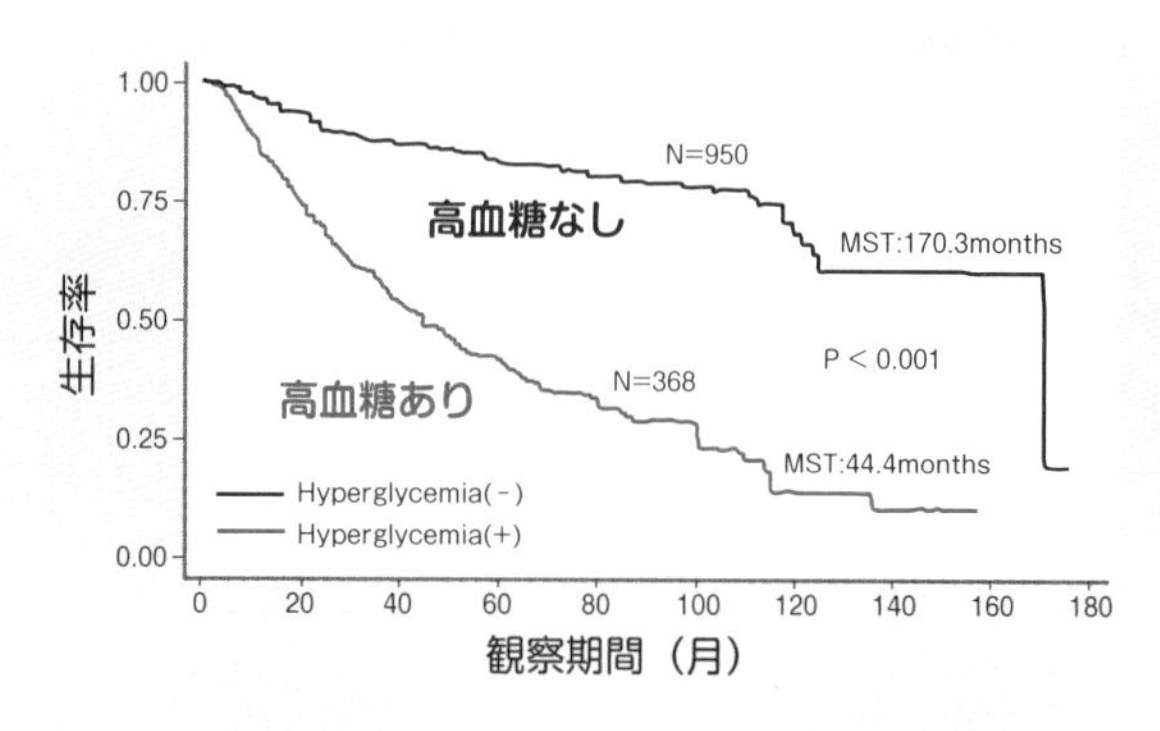

(Peng F, et al. Int J Cancer. 2016, 139, p.2705-2713. より作成)

の結果より、喘息やＣＯＰＤのコントロールがよくない人は、術前から積極的に治療することによって合併症のリスクを減らすことができる可能性があるとしています。

大腸がん患者１３００人以上の解析によると、術前に糖尿病（高血糖）、高脂血症、あるいは高血圧があると予後が悪くなることが明らかとなっています。とくに、術前に血糖値が高い患者は生存期間がとても短くなるという結果でした。

別の研究では、切除手術を受けた膵臓がん患者のうち、術前に糖尿病のコントロールが悪い人（つまり血糖値が非常に高い人）では、死亡率がおよそ２・５倍も高いというデータもあります。

このように、術前に呼吸器疾患や糖尿病などの持病がしっかりと治療できていない場合、術後の合併症リスクが高くなったり、生存率が低下したりすることがわかっています。

したがって、糖尿病をはじめ、喘息、COPD、高血圧症、心臓病（狭心症や不整脈など）などの持病がある方は、手術の前にしっかりと治療を受け、できるだけ病気がコントロールされた状態で手術にのぞむ必要があります。

まずは、持病の治療を受けている病院（かかりつけ医）に相談しましょう。また手術を受ける病院側も、あなたの持病の情報を共有する必要があります。したがって、必ずこれまでの経過（病歴）について、かかりつけ医から診療情報提供書（紹介状）をもらい、手術を受ける病院に持参しましょう。

いつも飲んでいる薬を主治医に伝えましょう

今現在飲んでいる薬（およびサプリメント）についても、手術を受ける病院の主治医（あるいは薬剤師など他の医療者）に伝える必要があります。

なかでも要注意なのは、抗血小板薬や抗凝固薬（血液をサラサラにする薬）を飲んでいる患者さんです。これらの薬は、手術の前に一定期間中止（または他の薬に変更）する必要があります。薬の種類によっては飲み続けたまま手術を受けた場合、出血が止まらなくなる可能性もあり、たいへん危険です。

もしあなたが「血液サラサラの薬」を飲んでいる場合、必ず主治医に伝えてください。自分がこれらの薬を飲んでいるかどうかわからない場合には、病院に「おくすり手帳」を持参しましょう。

持病と常用薬を自分自身で把握し、手術の前にきちんとコントロールすることが手術の成功につながります。

深部静脈血栓症（深い部分の静脈の血のかたまり）の可能性がある人は要注意

また、がんの手術の際に問題となるのが深部静脈血栓症です。

深部静脈血栓症は、主に足（ふくらはぎや太もも）などの深いところにある静脈に血栓（血のかたまり）ができる病気です。深部静脈血栓症がある人は、血管の壁から血栓がはがれ、肺の動脈に到達して血管をふさいでしまうことがあり、これを肺塞栓症といいます。ひとたび肺塞栓症を発症すると、命にかかわることもあります。

深部静脈血栓症の原因として、加齢、肥満、乗り物での長時間の移動（「エコノミークラス症候群」と呼ばれることもあります）、デスクワーク、長期間の臥床（入院による安静や寝たきり状態など）、脱水などがありますが、これらに加えて悪性腫瘍（がん）があります。

がん患者さんには深部静脈血栓症が多く、そのリスクは一般の人に比べて4〜7倍も高いといわれています。なかでも膵臓がん（一般の人に比べて9・7倍）、肝臓がん（7・4倍）、卵巣がん（6・2倍）、肺がん（5・2倍）、子宮頸がん（5・1倍）、食道がん（3・5倍）などで非常にリスクが高いことが報告されています。また、抗がん剤治療中には、さらに発症リスクが高まるといわれています。

このように、がん患者さんでは深部静脈血栓症のリスクが高くなるのですが、とくに術後には肺塞栓症を合併するリスクが高くなるため、手術前にしっかりとチェックすることが大切です。

深部静脈血栓症を発症すると、血液の流れが滞るため、その部位に腫れ（むくみ）

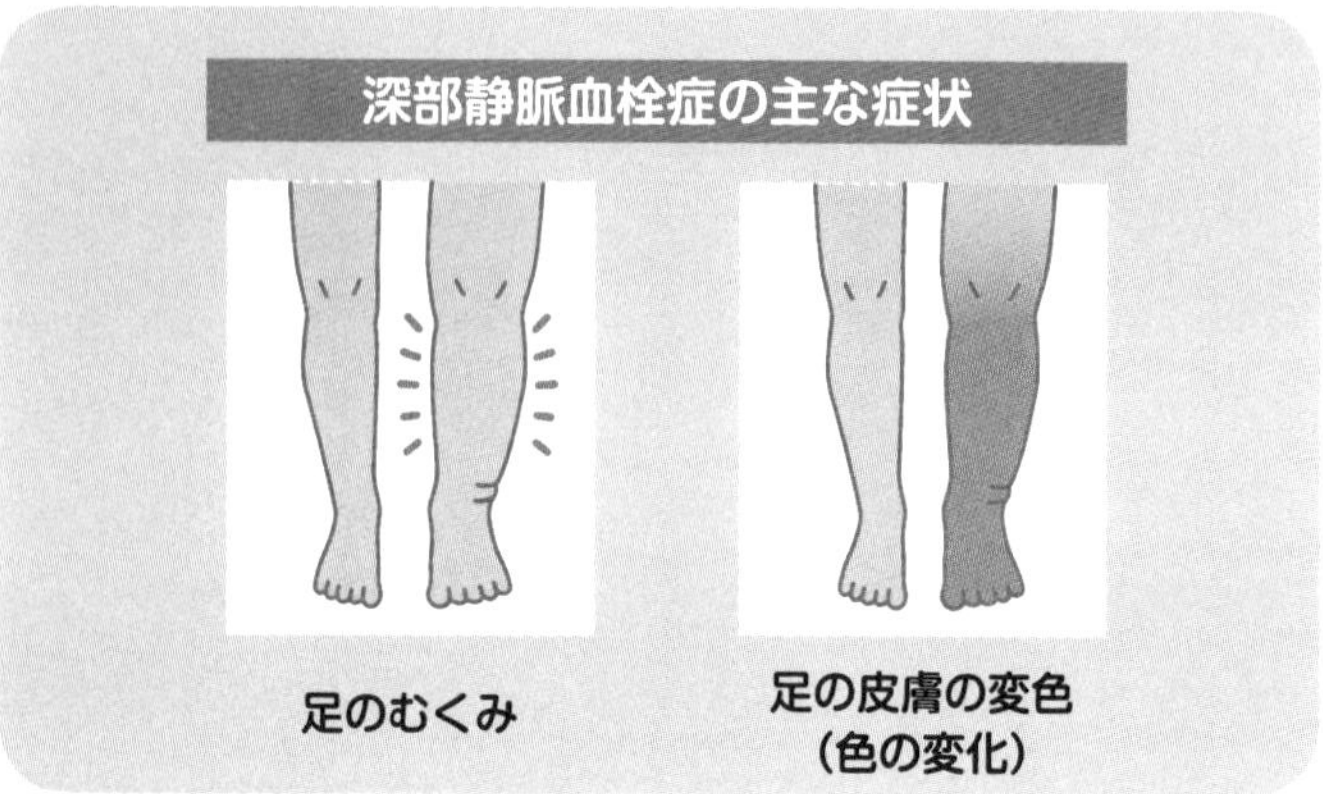

深部静脈血栓症の主な症状

足のむくみ

足の皮膚の変色
（色の変化）

がみられます。片方のふくらはぎが腫れて、足の太さが左右で違ってくることもあります。また、同時に痛みや熱っぽい感じ、あるいは発赤（赤くなること）などをともなうこともあります。

また、症状がなくてもリスクの高いがん患者さんは、手術前に血液検査（Dダイマーの測定）や超音波検査などで下肢に静脈血栓がないかをチェックします。

ただ、病院によってはこういった検査を行わない場合もありますし、血液検査だけでは見逃すこともあります。もし、ふくらはぎの腫れ・むくみ（同時に痛みがある、赤くなっている、熱っぽい）、足の太さの左右差など、気になる症状がある場合には主治医に相談して詳しい検査を受けてください。

もし血栓が見つかって事前に治療できれば、手術後に命をおびやかす肺塞栓症が起こるのを回避することができます。

禁煙と呼吸訓練

たばこを吸っている人あるいは過去に吸っていた人では、まったく吸ったことがない人に比べ、手術後に合併症が起こるリスクが高くなり、結果的に生存期間が短くなることが多くの研究より明らかとなっています。

一般的に、たばこを吸っている人は手術中から手術後に痰が多く出ます。この痰が気管支につまって肺がつぶれたり、肺炎になったりすることがあります。ひどい場合には、手術が終わっても人工呼吸器が外せなくなり、集中治療室（ＩＣＵ）での治療が必要になることもありますし、重症の肺炎によって命をおびやかす状態におちいることもあります。

とくに、長年の喫煙が原因で起こるＣＯＰＤがある人では肺機能が低下している場合が多く、手術などの治療が制限されるばかりではなく、治療の合併症が増え、結果的に死亡リスクが高くなります。

さらに、手術日までたばこを吸い続けることで、手術の合併症の発生率および死亡率が増加する可能性があるのです。

たとえば、肺の手術を受けた患者のうち、術後に呼吸に関連した合併症（肺炎など）がみられた割合は、たばこを吸ったことのない人では23・9％であったのに対し、手術直前までたばこを吸っていた人では43・6％と増加していました。一方で、術前に4週間以上にわたって禁

煙をしていた人では、非喫煙者と合併症のリスクが同じレベルまで低下するということでした。

たばこの害は、肺の手術だけに限りません。

胃の切除術を受けた1335人の胃がん患者を対象として、手術前の喫煙の有無と術後合併症の発生率との関係を調査した研究によると、喫煙者では術後合併症の発生率が12・3%であり、非喫煙者の5・2%と比べて有意に高いという結果でした。とくに、喫煙者では傷の治りが悪い、呼吸器関連の合併症、および縫合不全などが多くなっており、さらに、これらの合併症が非喫煙者よりも重症であったとのことです。

また、たばこは術後の合併症を増やすだけではなく、がんの肺への転移のリスクを高める可能性があるとの報告もあります。手術を受けた大腸がん患者567人を対象とした研究では、喫煙者では肺転移のリスクが2・7倍も増加していたということです。一方、非喫煙者や禁煙をした過去の喫煙者では、このようなリスクの増加はみられませんでした。

手術が決まったら禁煙しましょう

たばこを吸っている人は、手術が決まったらすぐに禁煙しましょう。

なかには「今まで何十年も吸ってきたので、急にやめることはできない」、あるいは、「がんと告知されたストレスや不安を紛らわすために、たばこはぜったいに必要」という人がいることも理解しています。

しかし、「たばこを吸い続けることによって、死のリスクが高まる」という事実をしっかりと認識してください。同時に、禁煙することで、合併症や死亡リスクを下げることが可能なのです。

たとえ手術までの期間が短くても禁煙の効果はあります。少なくとも2週間の禁煙をすることで合併症を減らすことができると報告されていますので、1日でも早く禁煙を開始することが大切です。

禁煙の方法には、大きく分けて自分でやめる方法と、禁煙外来に通う方法があります。

禁煙が成功しない原因として、日本では、いまだに屋内の喫煙所や屋外で比較的簡単にたばこを吸える環境があります。また、家族などまわりにたばこを吸う人がいることも禁煙の障害となります。

禁煙を成功させるためには、たばこを吸えない環境に身を置くこと、そして家族を含めてまわりの人の協力を得ることが大切だと感じています。また、禁煙を補助するためのニコチンガムやニコチンパッチなどが市販されていますので、これらを利用するのもいいでしょう。

最近では、従来の「燃焼式たばこ」から、非燃焼タイプの「加熱式たばこ」に乗り換える人が増えています。この加熱式たばこは、発がん物質であるタールが少なく、健康リスクが少ないといわれています。しかし、「加熱式たばこ」にもニコチンやその他の有害物質は含まれているため、健康に悪影響をおよぼす可能性は高いと考えられます。

いずれにせよ、「たばこは吸わない」と決心することが、手術を乗り切り、健康な生活を取り戻すベストの方法です。自分で禁煙できない人は、病院の禁煙外来を受診することをおすすめします。

禁煙外来では、医師があなたの喫煙歴をきちんと把握したうえで、カウンセリングや禁煙補助薬の処方などを行い、禁煙を全面的にサポートしてくれます。たとえ禁煙中に離脱症状が起こっても、医師に相談することで解決でき、禁煙を続けることができます。

また、ニコチン依存症は病気であるという理由から、一定の条件を満たせば、健康保険などを使って禁煙治療することができます。詳しくは、お近くの病院の禁煙外来にお問い合わせください。

呼吸訓練によって術後の肺炎を減らす

禁煙と同時に、ＣＯＰＤがある人や呼吸機能が低下している患者さんでは、術前の呼吸訓練（呼吸筋のトレーニング）が有効です。とくに、肺がんや食道がんの手術では、術後に肺炎などの呼吸器に関連した合併症が増えますので、呼吸訓練によってこういった合併症を未然に防ぐことが重要になってきます。

実際に、呼吸訓練（呼吸筋のトレーニング）を取り入れたプレハビリテーションによって、肺がんの術後に肺炎などの呼吸器関連の合併症がおよそ半分に減ったという報告があります。

ＣＯＰＤと言われた人や、長年喫煙を続けていた人は、ご自分の肺の機能について主治医に確認し、呼吸訓練が必要かどうかを積極的に相談しましょう。あるいは、主治医に言われなくても、自分でやっていいのです。

呼吸訓練のための器機（スーフル、トライボール、パワーブリーズなど）はインターネットでも購入できます。

高齢の患者さんの場合、とくに肺に病気がなくても肺機能が低下しているケースが少なくありません。ひとたび術後の肺炎を起こすと命にかかわることもありますので、術前から自分で呼吸訓練を行い、肺炎などの合併症を予防しましょう。

くり返しますが、たばこを吸っていた人、肺の切除を受ける患者さん、高齢の患者さん、また医師から「呼吸機能が低下している」と言われた人は、積極的に呼吸訓練を取り入れましょう。

手術前の口腔ケアの重要性

口腔内の細菌が術後の合併症を招く

歯や口の中に悪い細菌がいると術後の合併症が増えることをご存じですか?

一見、口の中と術後の合併症とは、何の関係もなさそうに思われるでしょう。しかし、そうではありません。

じつは口腔内の細菌(とくに歯周病菌)の増殖が、術後の合併症(とくに肺炎や傷の化膿などの感染性合併症)の原因となることがわかっています。

胃切除術、結腸・直腸切除術、および膵頭十二指腸切除術など消化管のがんに対する手術を受けた341人の患者について、歯周病を含めた口の中の衛生状況と術後の合併症との関係を調査した日本の研究結果を紹介します。

術前に、歯科医による診察で歯周病があった患者では、術後の感染性の合併症（お腹の深いところに位置する臓器や傷の感染など）のリスクが2倍になっていました。

次に、食道切除術を受けた39人の食道がん患者について、手術前に歯垢（しこう）を採取して細菌（病原菌）の検査をし、術後合併症

との関係を調べた研究です。

手術後の合併症として肺炎を起こした患者は、歯垢中の病原菌が陰性であった32人中9人（28・1％）であったのに対し、病原菌が陽性であった7人中5人（71・4％）と多くなっていました。

また、歯垢の病原菌が陽性で術後肺炎を起こした患者のうち2人では、術後の痰から同じ病原菌が検出されました。つまり、術前に口の中に病原菌が存在すると肺炎になりやすく、またその病原菌が肺炎を引き起こす可能性があるという結果でした。

手術前の口腔ケアで術後の合併症リスクが減少

これらの研究結果より、術前から口腔内の病原菌を減らすことで、術後の合併症が減る可能性が指摘されています。

実際に、手術前に口腔ケアを行い、歯周病菌をきちんとコントロールしておくことで、術後の合併症が減ったという研究結果が報告されています。

まずは、手術前の口腔ケア（歯みがき）で術後の肺炎が減ったという研究結果を紹介します。

食道切除術を予定している86人の食道がん患者のうち、45人には手術前1週間以上、1日5回の歯みがき（起床時、毎食後、および就寝前）を行うよう指導しました（歯みがき群）。この歯みがき群と、それ以前の特別な口腔ケアの指導を行っていない患者41名（コントロール群）との間で、術後合併症について比較しました。

その結果、手術後の肺炎は、コントロール群では32％でしたが、歯みがき群では9％まで減少していました（P＝0・013）。なかでも、気管切開を必要とする重症の肺炎は12％から0％にまで減少していました。とくに手術前の歯垢の検査で歯周病菌が陽性であった患者に限った解析では、手術後の肺炎はコントロール群の71％から歯みがき群では17％まで減少していました（P＝0・045）。

この結果から、手術前に歯みがきをしっかりとすることは、食道がん術後の肺炎を予防する比較的簡単な方法であると考えられます。

また、口腔がん（扁平上皮がん）の患者66人を、専門の医師および歯科衛生士による口腔ケアを受けたグループ（33人）と受けなかったグループ（33人）に分けて、術後合併症のひとつである創感染（傷口の感染）の頻度について比較した研究があります。口腔ケアの内容は、専門的な歯の洗浄、歯石取り、および適切な歯ブラシ、デンタルフロス、口腔粘膜／舌洗浄用のスポンジブラシ、および口内洗浄液を用いた口腔ケアの指導です。結果ですが、術後の創感染は口腔ケアを受けてないグループでは33％（11／33）であったのに対し、口腔ケアを受けたグループでは９％（３／33）と有意に少ないという結果でした。多変量解析によって複数の因子を総合的に解析した結果、口腔ケアを受けないことは、創感染のリスクをおよそ6倍にも高める因子となりました。

　他の部位のがんにおいても同じような結果が報告されています。大腸がんの手術を受けた患者６９８人のうち、術前に口腔ケアを受けた５６３人と、受けていない１３５人の術後合併症を比較した研究があります。口腔ケアは、感染した歯牙（むし歯）の抜去、歯垢および歯石の除去、専門的な歯の洗浄、舌苔（ぜったい）の除去、および義歯の洗浄に加え、歯みがき、歯間ブラッシング、デンタルフロス、舌のブラッシングなどセルフケアの指導を行いました。その結果、術前に口腔ケアを受けることにより、手術部位感染（傷口を含め手術操作がおよんだ部位に発生する感染のこと）の発生リスクが半分に減るということが明らかとなりました。

手術前にはできれば歯科を受診し、しっかりと口腔ケアをしましょう

このように、さまざまながんの手術において、術前から専門的な口腔ケアを行い、口の中の細菌をコントロールしておくと、術後の合併症のリスクを減らすことができるのです。

最近では、積極的に術前の口腔ケアを取り入れている病院が増えてきました。当院（産業医科大学病院）でも、比較的大きな手術を受ける予定の患者さんは、「周術期外来」と呼ばれる外来を受診してもいらい、専門の医師（口腔外科医）から口の中のチェックおよび歯みがきなど口腔ケアの指導を受けるようにしています。

もし手術を受ける病院で、歯科（あるいは口腔外科）受診や術前口腔ケアの説明や指導がなかった場合は、自分で歯科へ行き、歯周病やむし歯のチェック・治療および、専門的な口腔内清掃を受けてください。また、毎日の口腔ケア（清掃方法）の指導を

表　歯周病のセルフチェック

朝起きたとき、口の中がネバネバする。
ブラッシング時に出血する。
口臭が気になる。
歯肉がむずがゆい、痛い。
歯肉が赤く腫れている。（健康的な歯肉はピンク色で引き締まっている）
かたい物が噛みにくい。
歯が長くなったような気がする。
前歯が出っ歯になったり、歯と歯の間に隙間がでてきた。食物が挟まる。

※上記の項目３つあてはまる：油断は禁物です。ご自分および歯医者さんで予防するように努めましょう。
※上記の項目６つあてはまる：歯周病が進行している可能性があります。
※上記の項目すべてあてはまる：歯周病の症状がかなり進んでいます。

（日本臨床歯周病学会ホームページより）


受けましょう。

とくに歯周病がある人では術後合併症のリスクが高まる可能性が高いため、注意が必要です。また、自分が歯周病かどうかを簡単に確認できる表がありますので、是非セルフチェックしてみてください。

上記のセルフチェックで歯周病が疑われる場合、必ず歯科を受診してください。

また、どうしても歯科受診ができない人は、しっかりとした歯みがき（毎食後に加え起床時、寝る前の丁寧なブラッシング）を習慣にし、口の中をできるだけ清潔に保ちましょう。歯と歯の間など、歯ブラシだけでは磨ききれない場所には、歯間ブラシやデンタルフロスを使うのもいいでしょう。

「たかが歯みがき」とバカにしないでください。命を左右する大事なことなのです。術前にはしっかりと口腔ケアをして、術後合併症の原因となる歯周病菌を減らしてから手術にのぞむことが重要です。

筋力・筋肉の量が落ちてきた人は筋トレ＋タンパク質強化（プロテイン）

一般的に、年齢とともに筋肉量と筋力は低下します。筋肉量の減少は30代から始まり、健康な人でも70代以降では平均30％も減少するといわれています。

ところが、がん患者さんの場合、さまざまな原因で、筋肉の量と筋力の低下が急激にすすむことがあります。

みなさんは、「サルコペニア」という言葉を聞いたことがありますか？

「サルコペニア」とは、ギリシア語で筋肉を意味する「サルコ」と、減少を意味する「ペニア」を組み合わせた言葉で、何らかの原因で筋肉量と筋力が異常に低下する状態のことです。

最近、がんとサルコペニアとの関係に注目が集まっています。

これまでの研究によると、がん患者の多くにサルコペニアがみられること、そして、

図　サルコペニアがある胃がん患者は手術後の生存率が低下する

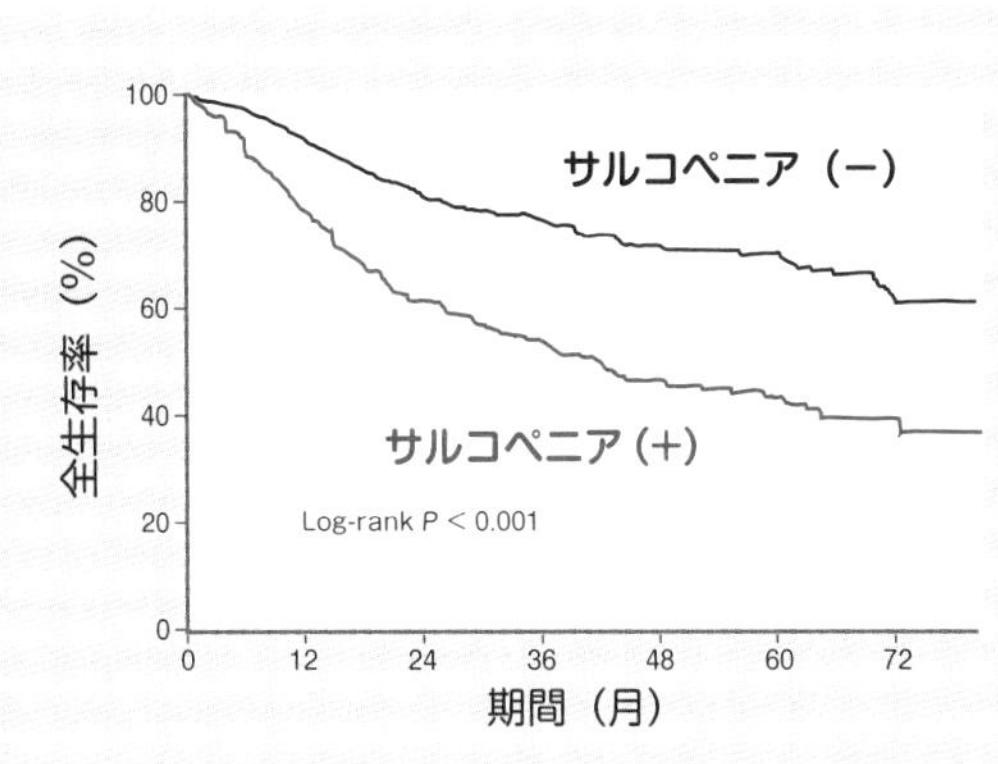

(Zhuang CL, et al. Medicine (Baltimore). 2016, 95 : e3164. より作成)

サルコペニアがあると治療がうまくいかず、予後（病気の経過）が悪くなるといったことが明らかとなってきました。

たとえば、サルコペニアがある状態で手術を受けると、術後の合併症が数倍にも増え、手術によって死亡するリスクが高くなり、さらには長期的な生存期間が短くなるという報告があります。

実際に、９３７人の胃切除を受けた胃がん患者を対象とした海外の大きな研究では、サルコペニアがある患者（全体の41・５％）では、重症の術後合併症が発生するリスクが3倍も高く、また長期の死亡リスクが60％近くも上昇することがわかっています（上図）。

また、海外からだけではなく、日本でも同様の研究結果が報告されています。９５１人の胃がん患者を対象とした日本の研究では、手術前にサルコペニアがあった人(全体の11・7%)では、長期の死亡リスクが82%も増加したとのことです。

この他にも、食道がん、大腸がん、肝臓がん、および膵臓がんの患者を対象とした研究において、サルコペニアがあると手術後の合併症率や死亡リスクが高まることが報告されています。

サルコペニアの診断

サルコペニアの診断は、一般的にAWGS(Asian Working Group for Sarcopenia)というアジア人向けのサルコペニアの診断基準に基づいて行われます。

まずは筋力と身体機能を評価します。このうち、どちらか一方でも低下している場合にサルコペニアを疑います。

筋力の評価には握力を測定するのが一般的です。握力が男性で26kg未満、女性で18kg未満の場合、筋力低下があると判断します。

５回椅子立ち上がりテスト

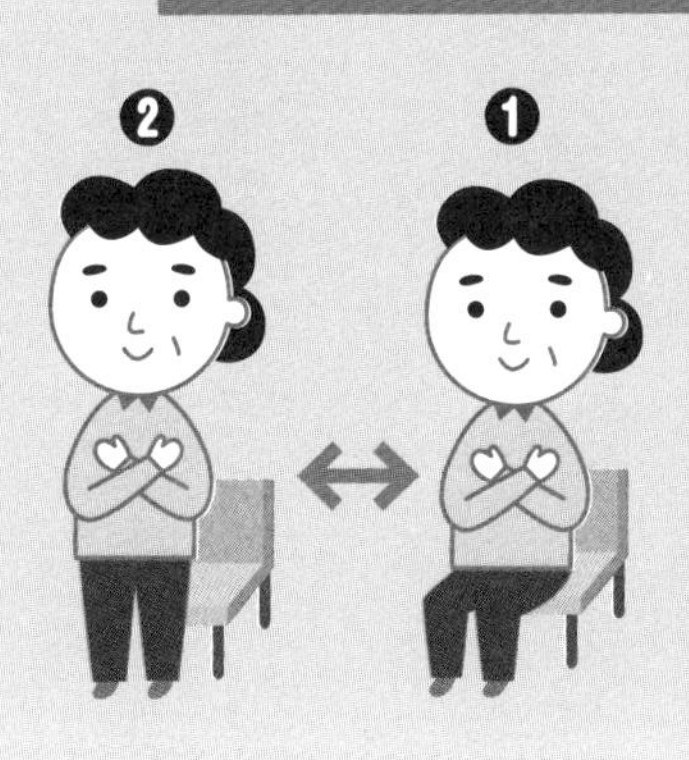

❶肘掛けのない椅子に座り、両手を交差して胸にあて、足は肩幅程度に開きます。
❷椅子に座った状態から、立ち座り動作を５回くり返して、立ち上がるのに要した時間を計ります。

また身体機能の評価は歩く速度で行います。６分間歩行テスト（６分間でどのくらい歩けるかを測定）を行い、歩行速度が秒速０・８m以下の場合、身体機能が低下していると考えられます。あるいは、より簡便なテストとしては、５回椅子立ち上がりテスト（上図）を行い、12秒以上かかった場合には身体機能が低下していると判断されます。

筋力または身体機能が低下していると判定されたら、次にサルコペニアの確定診断のために筋肉量の測定を行います。ちなみに、筋肉量の測定にはＢＩＡ法、ＤＸＡ法、あるいはＣＴスキャンなどを利用したさまざまな方法が報告されており、定まったものはありません。現在、ＡＷＧＳ基準で主に行われているのが、微弱な電気を体に流すＢＩＡ法です。男性は７・０kg／m²未満、女性は５・７kg／m²未満だとサルコペニアと診断されます。

また、筋力、身体機能および筋肉量のすべてが低下している場合には、重症サルコペニアと診断されます。

このようにサルコペニアをきちんと診断するには、検査で筋肉量を測定する必要があります。このため、自分でサルコペニアかどうかを判断することはできませんが、日常生活でサルコペニアを疑うポイントがあります。

たとえば、

●ペットボトルの蓋が開けにくい。

●片足立ちのまま靴下をはくのが難しい。

●階段で10段を登ることが難しい。

●自転車で坂道を登れない。

●歩くのが遅くなり、横断歩道を青のまま渡り切ることができない。

以上のようなことがあてはまる場合、サルコペニアの疑いがあります。

また、サルコペニアの可能性を評価する簡単な方法として、自分の両手の親指と人

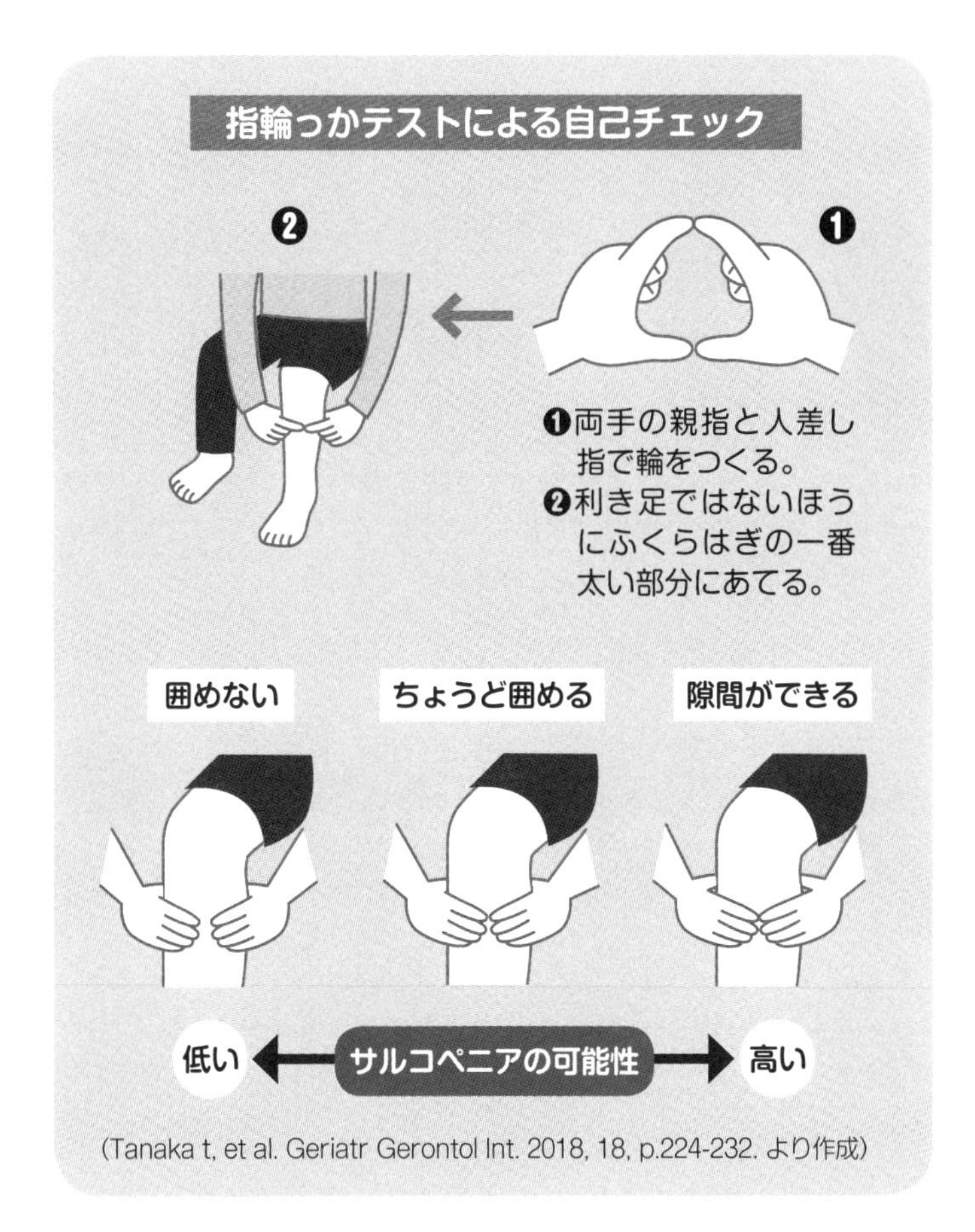

差し指で輪をつくり、下腿（ふくらはぎ）の一番太い部分を囲めるかどうかを調べるテスト（指輪っかテスト）があります。

手でつくった輪で囲めない（つまり、ふくらはぎの筋肉がしっかりとある）場合と比べ、ちょうど囲める場合には2・4倍、隙間ができる場合には、6・6倍もサルコペニアと診断されるリスクが高くなるとのことです。したがって、隙間ができる人はサルコペニアの可能性が非常に高いと考えられます。

私も外来でがんの患者さんの診察をするとき、必ず足の筋肉（太ももやふくらはぎの筋肉）を触らせていただきます。統計をとったわけではありませんが、経験的に、太ももに筋肉がしっかりとついている患者さんは手術後の合併症が少なく、早く退院されることが多いのです。手術後も筋肉が保たれている患者さんは、がんの再発も少ない印象があります。

このように、サルコペニアは術後の合併症のリスクを増加させ、ひいては生存率を低下させる恐ろしい病態です。

サルコペニアを防ぎ改善する方法

では、サルコペニアの疑いのある人はどうすればいいのでしょうか?

サルコペニアを予防、あるいは治療するために確立された方法はまだありません。

サルコペニアを引き起こすメカニズムは、栄養状態の悪化や代謝異常によって筋肉の分解がすすむことに加えて、筋肉の合成が減少することと考えられています。したがって、適度な運動によって筋肉の分解を防ぎ、またタンパク質を中心とした栄養補充によって筋肉の合成を増加させることが予防や治療となります。

実際に、これまでの研究により、**サルコペニアを予防あるいは改善するためにはプレハビリテーションが有効**である可能性が示されています。

術前の運動と栄養療法によるプレハビリテーションが、がんにともなうサルコペニアを改善するのに有効であることを示した日本での研究を紹介します。

この研究では、サルコペニア（筋肉やせ／筋力低下）を認める高齢の胃がん患者に、術前から運動療法（握力トレーニング、ウォーキング、レジスタンス運動）と栄養サポート（必要カロリー＋タンパク質摂取のアドバイス＋サプリメント［HMB］）をおよそ2週間行いました。

その結果、一部の患者（22人中4人）ではサルコペニアが改善し、また結果的に全員に重大な術後の合併症はみられませんでした。

サルコペニアの可能性があると思われる患者さんは、術前に運動（とくに筋トレ）

とタンパク質を中心とした食事によって少しでも筋肉をつけることが大切です。

ホエイプロテインによって筋肉を維持・増加させる

私は、つねづねがん患者さんには、筋肉を維持するためにタンパク質の補充として乳清タンパク質（ホエイプロテイン）がいいと言ってきましたが、とくに筋肉が減っている患者さんには是非、筋トレ後にとってもらうようにおすすめしています。

最近、日本で「レジスタンス運動（筋トレ）後のホエイプロテイン摂取が、筋肉量の維持・増加および身体機能の改善に有効である」というランダム化比較試験の結果が報告されました。

この研究では、65歳から80歳までの健康な日本人の高齢女性81人を、次の3つのグループ（それぞれ27人）にランダムに割り付けました。

❶ 運動＋プロテイン群
❷ 運動のみ群
❸ プロテインのみ群

図　運動（筋トレ）＋プロテインによる骨格筋量増加

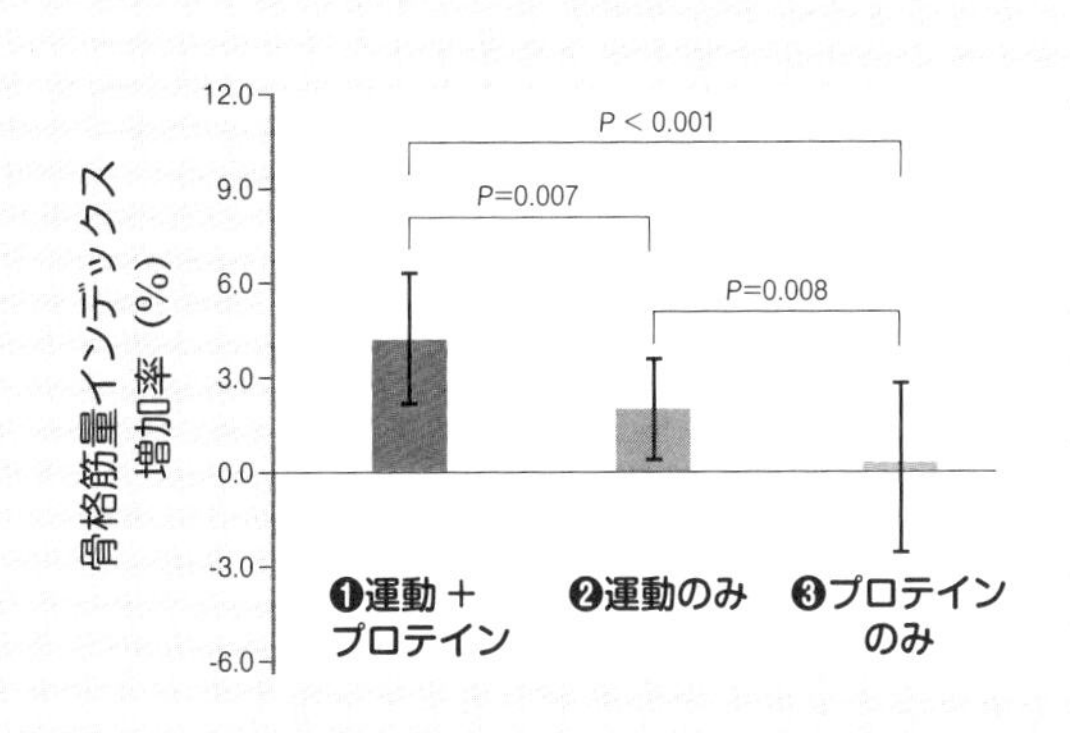

（Mori H, et. al. Geriatr Gerontol Int. 2018, 18, p.1398-1404. より作成）

レジスタンス運動（筋トレ）は、週2回、体重負荷（椅子を使ったトレーニング）およびゴムバンドによる運動が行われました。

プロテインのサプリメントは、1回25g中、タンパク質22・3gを含み、アミノ酸としてバリン、ロイシン、およびイソロイシンが含まれていました。また、すべてのグループにおいて、食事から少なくとも1日体重1kgあたり1・2gのタンパク質を摂取するように指導しました。

24週間にわたって試験を続け、その前後で、体重、筋肉量、筋力（握力）および身体機能（歩行速度）が評価されました。

その結果、体重、下肢筋肉量、骨格筋量の増加率は、運動のみ群、プロテインのみ群に比べ、運動＋プロテイン群で有意に高かったということです（前ページ図）。

すなわち、筋トレの後にホエイプロテインを飲むことがサルコペニアの予防・改善につながる可能性があります。

腸内細菌の調節

腸内環境を整えるプロバイオティクスとは?

人間の腸には、無数の腸内細菌が生息し、腸内フローラ(腸内細菌の集まり)を形成しています。

腸内細菌は大きく分けて、善玉菌、悪玉菌、そして日和見菌に分類されます。腸の中ではこれらの細菌が勢力争いをしており、そのバランスのことを腸内環境といいます。

多くの研究により、この腸内環境は食べ物の消化・吸収だけではなく、免疫力やさまざまな病気に深く関係していることがわかっています。つまり、腸内環境が乱れると、細菌やウイルスに対する抵抗力が低下し、感染を起こしやすくなるのです。その点で最近、注目を集めているものが、プロバイオティクスです。

プロバイオティクスとは、乳酸菌やビフィズス菌など、腸内フローラのバランスを改善し、人体に有益な作用をもたらす微生物のことです。

プロバイオティクスを摂取することによって腸内環境を善玉菌中心の理想的な環境にすることで、免疫力が高まり、さまざまな病気の予防や治療に役立つ

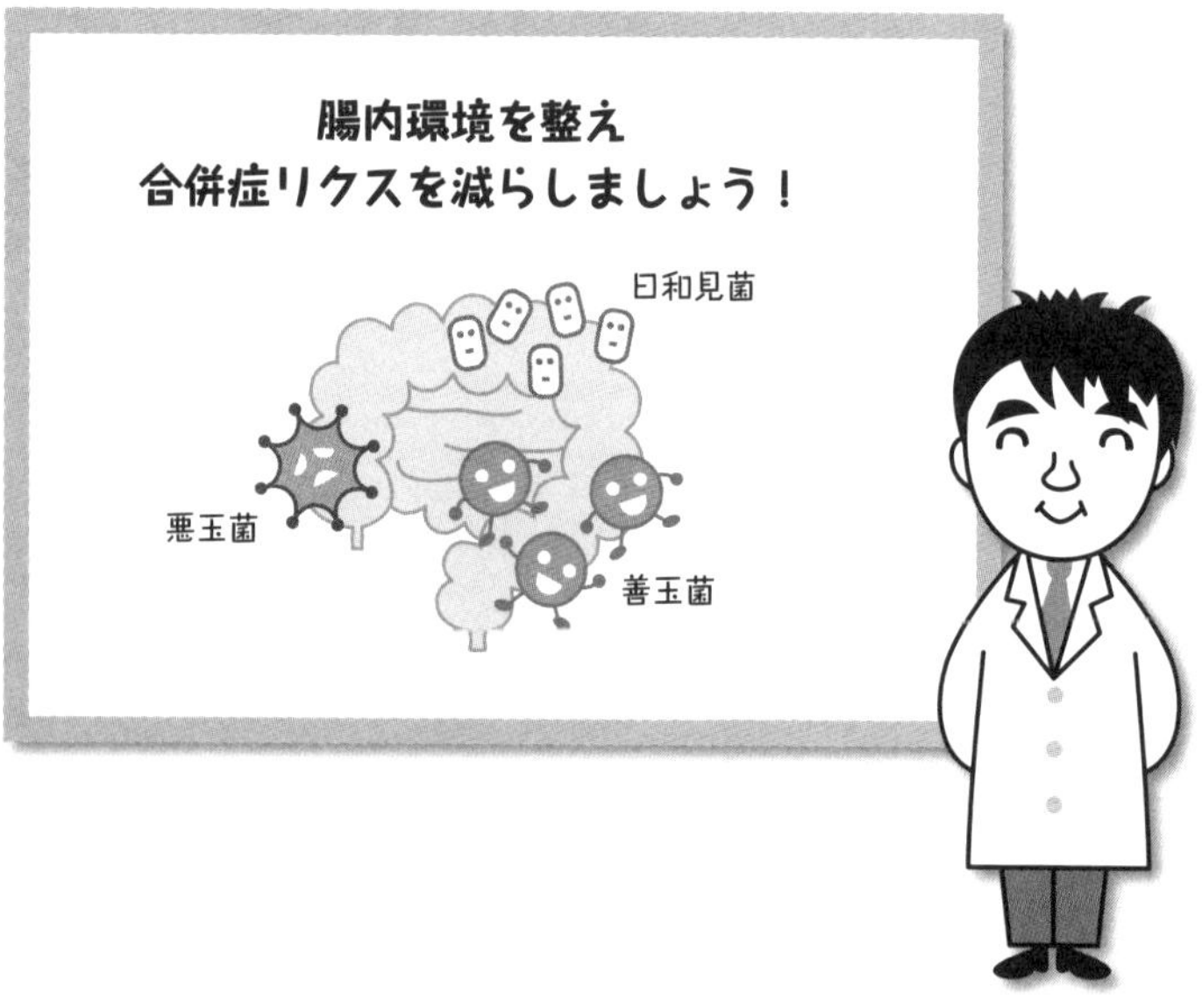

とされています。たとえば、特定の乳酸菌を摂取することがインフルエンザの感染予防に役立つ、という研究報告があります。

腸内環境の最適化は、じつはがんの手術を控えた患者さんにも必要です。手術のもっとも一般的な合併症は細菌などによる感染症ですが、腸内環境を整えることによって感染に対する抵抗力を高めることで、合併症を減らす効果が期待できます。

実際に、がんの手術を控えた患者さんを対象に、乳酸菌、ビフィズス菌などのプロバイオティクスを術前から摂取する効果を調べた臨床試験がいくつか行われています。

術前からのプロバイオティクスの摂取によって合併症が減少

まずは日本で報告された、胆道がん（胆管がん、胆のうがん）に対して肝臓の切除を含む手術を予定している患者101人を対象とした臨床試験です。患者を2つのグループにランダムに分け、ひとつのグループでは術後から、もうひとつのグループでは術前から術後にかけて、乳酸菌（ラクトバチルス・カゼイ・シロタ株）とビフィズス菌（ビフィドバクテリウム・ブレーベ）を含む飲料（プロバイオティクス）に加え、これらの善玉菌の栄養源となり、増殖を促進する作用があるガラクトオリゴ糖（プレバイオティクスといいます）を摂取してもらいました。ちなみに、このように善玉菌（プロバイオティクス）とそのエサ（プレバイオティクス）を同時に摂取することをシンバイオティクス（synbiotics）といいます。

その結果、手術前からシンバイオティクスを始めたグループでは、感染性の合併症（傷やお腹の中の感染、肺炎など）の発生率が12％であり、術後から始めたグループの30％と比較して有意に低いという結果でした。

また、手術前からシンバイオティクスを始めたグループでは、免疫システムの指標（ナチュラルキラー細胞の活性やリンパ球数）が増加しており、一方、術後に炎症のマーカー（インターロイキン-6やC反応性タンパク）の値が下がっていました。つまり、腸内環境が整うことで、免疫システムが改善し、細菌に対する抵抗力が高まったことが考えられます。

海外では、大腸がん患者に対して、乳酸菌（ラクトバチルス・アシドフィルス、ラクトバチルス・プランタルム）やビフィズス菌（ビフィドバクテリウム・ラクティス）などを含むプロバイオティクスのカプセルあるいはプラセボ（にせ薬）のカプセルを、術前から飲み始めて術後15日目まで続け、術後の合併症の発生率を調査したランダム化比較試験が行われました。

その結果、プラセボのグループではすべての術後合併症が48・8％にみられましたが、プロバイオティクスを摂取したグループでは28・6％と減っていました。このうち、とくに肺炎（プラセボで11・3％に対してプロバイオティクスで2・4％）および手術部位感染（プラセボで20・0％に対してプロバイオティクスで7・1％）が減っていました。

さらに注目すべきは、プロバイオティクス摂取のグループでは感染性の合併症だけではなく、縫合不全まで減っていたことです（プラセボで8・8％に対してプロバイオティクスで1・2％）。この結果をサポートするように、腸をつなぎなおす手術を行ったマウスを使った実験では、術前に低脂肪・高繊維食を与えて腸内細菌を改善したグループでは、高脂肪・低繊維食を与えたグループに比べ、腸をつないだところの治癒が改善し、縫合不全が減っていました。

このように、プロバイオティクス（あるいはプレバイオティクスを組み合わせたシンバイオティクス）を術前から術後にかけて摂取することにより、肺炎や手術創部の感染症および縫合不全といった術後合併症の発生率を大幅に減少させることが明らかとなっています。

手術前にはプロバイオティクスをとりましょう！

プロバイオティクスはヨーグルト、納豆、チーズ、キムチ、甘酒、漬け物（ぬか漬けなど）、味噌、塩麹などの発酵食品に含まれていますので、これらの食品を術前にしっかりとりましょう。このうち、ヨーグルト、納豆、チーズはタンパク質も豊富ですので、手術前に摂取する食品としては理想的です。

また、プロバイオティクスと同時に、これらの善玉菌を増やす作用のあるオリゴ糖や食物繊維（プレバイオティクス）を同時にとることをおすすめします。たとえば、プレーンヨーグルトにオリゴ糖をかけて食べるといいでしょう。

また、より効率的にプロバイオティクスをとる方法として、乳酸菌飲料（ヤクルトなど）や乳酸菌のサプリメントなどもあります。

ヤクルトからは、乳酸菌シロタ株（プロバイオティクス）と、腸内の乳酸菌を増やすガラクトオリゴ糖（プレバイオティクス）の両方がミックスされた乳製品乳酸菌飲料（ヤクルトW）も販売されています。

また、海外から並行輸入などで比較的安いプロバイオティクスのサプリメントが入手できますので、こちらを利用するのもいいでしょう。

プロバイオティクスは便から排出されますので、毎日とる必要があります。少なくとも手術の1週間前から、プロバイオティクスとプレバイオティクスを積極的にとりましょう。

また、術後も食事が開始となってからプロバイオティクスを早期に再開することをおすすめします（主治医の許可を得てから始めましょう）。

第4章

プレハビリテーション成功例

具体的なプレハビリテーション実施例

では、実際にがんの手術を控えた患者さんを例にとって、プレハビリテーションを含めた計画を紹介します。

症例1

患者：Aさん（70代、男性）
病名：膵臓がん（ステージⅡ）
予定手術：膵頭十二指腸切除術
手術予定日：3週間後
術前治療：なし
喫煙歴：あり（1日20本、40年以上、現在も喫煙）

持病：糖尿病（薬で治療中）
身長：１６５㎝
体重：60㎏（ＢＭＩ：22）
検査データ（栄養状態）：貧血なし。ＰＮＩ：46
病歴と生活歴：20年前から糖尿病と高血圧があり、かかりつけの内科クリニックで薬をもらって治療していましたが、それ以外の大きな病気をしたことはありません。
現病歴：毎年受けている健康診断で、糖尿病の悪化（ＨｂＡ１ｃの上昇）を指摘されました。近くの総合病院で検査を受けたところ、膵臓にがんが見つかりました。

かなり昔に母親が膵臓がんと診断され、数か月で亡くなっていたため、膵臓がんについての知識はある程度持っていましたが、告知を受け「まさか自分が膵臓がんになるとは」と驚いています。「母のようにあっという間に死ぬのでは」と不安な毎日です。夜もあまり眠れていません。

幸いにも切除が可能なステージということで、大学病院で手術（膵頭十二指腸切除術）を受けることになりましたが、手術予定日は3週間先です。
定年退職してからは、家で過ごすことが多くなり、あまり運動もしなくなりました。ここのところ手足が細くなってきたように感じます。また、片足立ちで靴下をはくときに、よく倒れるようになってきました。外来で指輪っかテストをしてもらったところ、隙間ができサルコペニアが疑われました。

これらの情報を総合的に判断し、手術3週間前の外来でAさんと奥さんと相談しながら、プレハビリテーションおよび手術前にやるべきことについて指導しました。

Aさんのプレハビリテーション

まずは、すぐに次のことをしてもらいました。

最初にしてもらったこと

● かかりつけの内科クリニックで血糖値をコントロールするため薬を調節

- 歯科を受診してもらい口腔ケア（歯周病のチェック、歯垢・歯石の除去、ブラッシング指導）
- 禁煙
- 呼吸訓練のための器具（トライボール）を購入
- マインドフルネスの本を購入
- 奥さんにタンパク質の量を考えた食事メニューを指導
- 薬局でホエイプロテインと乳酸菌サプリを購入
- 近所のスポーツジムに入会

では、具体的に手術までのプレハビリテーションの計画表（次ページ表）を紹介します。

❶口腔ケア：まずは、翌日にかかりつけの歯科医を受診してもらい、歯周病と義歯のチェック、専門的洗浄（歯垢と歯石除去）を行ってもらいました。同時に口腔ケア（適切な歯のブラッシング、歯間などの洗浄法）を指導してもらい、その後、毎日自分

Aさんのプレハビリテーションの計画表

歯科受診

❶指導を受けた口腔ケア（歯みがき1日5回）

❷禁煙＋呼吸訓練（トライボール）

❸マインドルフルネス瞑想

❹プロバイオティクス（サプリ）

❺食事療法＋プロテイン（タンパク質強化 90g/ 日を目標）

❻ウォーキングまたはエアロバイク（スポーツジム）

筋トレ　筋トレ　筋トレ　筋トレ　筋トレ　筋トレ　筋トレ

手術までの日数	21	20	19	18	17	16	15	14	13	12	11	10	9	8	7	6	5	4	3	2	1	0
	外来							外来							外来							手術

└プレハビリテーションの指導

で実践してもらいました。

❷禁煙＋呼吸訓練：たばこを吸っていましたので、すぐに禁煙してもらいました。長年吸っていたたばこをやめるのは、とてもつらかったそうですが、「命には代えられない」と決心されたとのことです。また、呼吸機能検査で閉塞性換気障害（気管支が狭くなり、一気に息を吐き出すことができない状態）を認めていたこともあり、毎日トライボールを使って呼吸訓練をしてもらいました。

❸メンタルケア：膵臓がんですぐ

に亡くなった母の影響から「膵臓がん患者は助からない」という思い込みがあり、死に対する恐怖や不安が大きかったので、「手術がうまくいけば膵臓がんでも治る人もいる」ことを説明しました。またマインドフルネス瞑想の本にしたがって朝夕10分間の瞑想を実践してもらいました。

❹プロバイオティクス（＋プレバイオティクス）の摂取：薬局で乳酸菌とビフィズス菌の含まれたサプリメントを買ってきてもらい、手術の前日まで毎日飲んでもらいました。また、朝食時にヨーグルトにオリゴ糖をかけて食べてもらいました。

❺食事療法＋プロテインによるタンパク質強化：1日に90gのタンパク質を摂取できるように、食事メニューを工夫してもらいました。足りない分はホエイプロテインで補ってもらいました。

❻運動（有酸素運動＋レジスタンス運動）：もともと運動習慣はなかったのですが、スポーツジムに入会してもらいました。早足のウォーキング（20～30分）を毎朝してもらい、同時にスポーツジムでトレーナーの指導のもと、エアロバイク（15分）と筋トレ（下半身を中心に）を週2日してもらいました。

週に一度、外来にきていただき、プレハビリテーションの計画がどのくらい達成できているかをお聞きしました。ご本人曰く、「ほぼ100%できている」とのこと。たばこをやめて呼吸訓練を開始してから、呼吸も楽にできるようになったそうです。ふくらはぎの筋肉もつき、サルコペニアも改善したようでした。

術後経過

手術後の経過はとても良好で、翌日からベッドに座って新聞を読むまでになりました。長年の喫煙者であり、肺の機能低下があったため、肺炎などの合併症が懸念されていましたが、禁煙と呼吸訓練のおかげで呼吸器関連の合併症はみられませんでした。術後2日目には廊下を歩くまでに回復しました。傷の感染はなく、術後1週間目に抜糸。その後も合併症を起こさず順調に経過し、手術から14日目に自宅への退院となりました。

このように、術前からの入念な準備（プレハビリテーション）によって、大きな手術を無事に乗り切り、合併症もなく早期に回復しました。

Aさんは、このプレハビリテーションを術前だけに終わらせず、術後も運動や食事、プロバイオティクス摂取、口腔ケアなど一部の生活習慣を続けています。現在、手術から約1年が経過。術後の補助化学療法（抗がん剤治療）中ですが、副作用もなく元気に生活しています。

症例2

患者：Bさん（60代、女性）
病名：結腸がん（ステージⅢa）
予定手術：結腸部分切除術
手術予定日：2週間後
術前治療：なし
喫煙歴：なし
持病：高血圧症（薬で治療中）
身長：153cm
体重：65kg（BMI：27）
検査データ（栄養状態）：貧血あり（Hb9・5g／dL）

現病歴：10年前から高血圧と診断され、かかりつけの内科クリニックで薬をもらって治療していました。数か月前から便に血が混じることに気づいて病院を受診し、詳しい検査の結果、S状結腸にがん（ステージⅢa）が見つかりました。２週間後に手術（結腸部分切除）を予定しました。

体格はやや肥満があり、栄養状態については、がんからの出血によると思われる貧血はありましたが、それ以外はとくに問題ありませんでした。ただ、もともと運動をする習慣がまったくなかったとのことで、体重のわりに、手足、とくにふくらはぎの筋肉はかなり細くなっており、サルコペニアが疑われました。

また、がんの告知によって気持ちの落ち込みがはげしく、外出もできず、夜間も眠れないほどでした。

Bさんのプレハビリテーション

- 糖質（白米やパン、めん類）中心だった食事を見直し、タンパク質をしっかりと摂取できるメニューを指導
- ホエイプロテインを購入してもらい、毎日運動の後に飲んでもらう
- 運動（有酸素運動＋レジスタンス運動）：毎日夕食後に、早足のウォーキング（30分）をしてもらい、週に3日間（月、水、金）、スクワット、かかと上げ運動（カーフレイズ）を中心に、筋トレをしてもらう
- がん告知にともなう「うつ症状」がみられたため、当院の心療内科の医師に診察・カウンセリングをしてもらう

手術直前の外来診察では精神状態も安定して笑顔も見られ、高タンパク質の食事と運動の効果により、筋肉がややついた印象でした。

術後経過

手術後の経過はきわめて順調で、合併症はみられませんでした。手術の翌日からベッドから降りて歩けるようになりました。手術から10日目に自宅への退院となりました。運動の習慣がなく、筋肉が減っておりサルコペニアが疑われましたが、術前2週間のプレハビリテーションによって体力・筋肉の量が増え、無事に手術を乗り切ることができました。

現在、術後6年を経過していますが、再発はなく元気に外来に通ってこられます。術前から始めたウォーキングと筋トレは今でも続けているそうです。

がんの手術を乗り切った患者さんへ

最後に、プレハビリテーションを実践し、がんの手術を乗り切った患者さんへのアドバイスです。

がん治療は、手術だけで終わりません。がんのタイプやステージによっては、手術後に抗がん剤や放射線治療を追加することもあります。また、通常、最低でも5年間（一部のがんでは10年間）、再発のチェックや経過観察が必要となります。がん治療は長期戦です。

また、最近のがん治療の進歩にともなって、がんを克服する「がんサバイバー」が急増しています。つまり、がんでも長生きできる時代となりました。これにともない、たとえ最初の「がん」を治療により克服しても、他の臓器に別の「がん」が発生することも決してまれではなくなりました。

最近では、タレントの堀ちえみさんが、舌がんに対する手術を受けた直後に食道がんが見つかり、内視鏡による切除を受けました。幸いにもステージ0と非常に早期だったとのことです。

このように、がんと診断された患者さんや、治療を受けたサバイバーに、新たにできるがんのことを「重複がん」と呼びます。研究によると、がん患者に重複がんができるリスクは、一般的な確率と比べて非常に高いことから、がんサバイバーはとくにがん予防（運動や食事）を心がけた生活を送る必要があるといわれています。

運動や食事療法といったプレハビリテーションのプログラムは、手術前だけではなく、抗がん剤や放射線治療中にも必要ですし、さらに治療が終わってからの生活でも必要なことなのです。

たとえば、がん診断後の生活習慣として、体を動かして活動的な生活を送ることは、長生きすることにつながります。

大腸がんサバイバー1376人を対象に、診断後のライフスタイルについて調査したところ、全体の身体活動性が高い人（とくに、スポーツ、ウォーキング、ガーデニングをよくする人）は、低い人に比べ、死亡リスクがおよそ半分に低下していました。

一方で、昼間に2時間以上の睡眠をとっている人は、死亡リスクが2倍以上に上昇していました。

食事に関しては、植物性食品が豊富で、糖質（炭水化物）を減らした食事は、大腸がんによる死亡率を約70％も減少させ、全体の死亡率を約30％減少させることがわかっています。

ですので、手術を無事に乗り切ったみなさんには、その後も定期的な運動や栄養を考えた食事など身につけたプレハビリテーションの生活習慣を続けてほしいと思います。

これこそが、がん再発を防ぐ「がんを寄せ付けない」生活習慣そのものなのです。

コラム❶

手術を受ける病院はどうやって選ぶべきか？

「がんの手術を受ける病院はどうやって選ぶべきか？」については、とても重要な問題です。なぜなら、選んだ病院によって命が助かるかどうかが決まることもあるからです。

病院選びの基準は、人それぞれだと思います。近くの通いやすい病院がいい人、名医がいる有名な病院がいい人、あるいは雑誌やインターネットの病院ランキングを参考にする人もいるでしょう。

一般的に、がんの病院ランキングは、手術を行った患者さんの数（手術件数）を基準にしています。つまり、がんの手術を年間何例行っているかで順位が決まるのです。がんの部位（臓器）によっても違いますが、たいていはがんセンターや大学病院が上位にランクされています。はたしてこの病院ランキングは信用できるのでしょうか？　たくさん手術をしている病院が本当にいい病院なのでしょうか？

病院の手術件数と治療成績との関係

手術件数が多い病院をハイボリュームセンター（high volume center）、逆に少ない病院をローボリュームセンター（low volume center）と呼びます。じつはがんの手術に関しては、「ハイボリュームセンターのほうがローボリュームセンターに比べて手術の結果がいい」という多くの研究結果があるのです。ここでいう「手術の結果がいい」とは、「術後の合併症が少なく、手術による死亡リスクが低い」ということです。

最近、日本の施設（病院）におけるがんの手術例数と長期の生存率との関係についての研究結果が報告されました。対象となったのは、食道がん、胆道がん、そして膵臓がんです。結果は、これらすべてのがんに関して、3年生存率（手術から3年の時点で生存している患者の割合）は、ローボリュームセンターに比べてハイボリュームセンターで高くなっていました。

たとえば膵臓がんの場合、手術件数が多いハイボリュームセンター（年間14〜28例）で手術を受けた場合と比較し、それよりも少ないミドルボリュームセンター（年間4〜13例）で受けた場合には3年時での死亡リスクがおよそ40％増加し、もっとも手術件数が少ないローボリュームセンター（年間0〜4例）で受けた場合には90％も増加するという結果でした（次ページ**表**）。

このように、手技が複雑で、難易度が高いがん手術（たとえば、膵臓がん、胆道がん、食道がんの手術）の場合、手術をたくさんしている病院で受けたほうが長生きするという

日本の89施設における膵臓がん1,968人の術後生存率

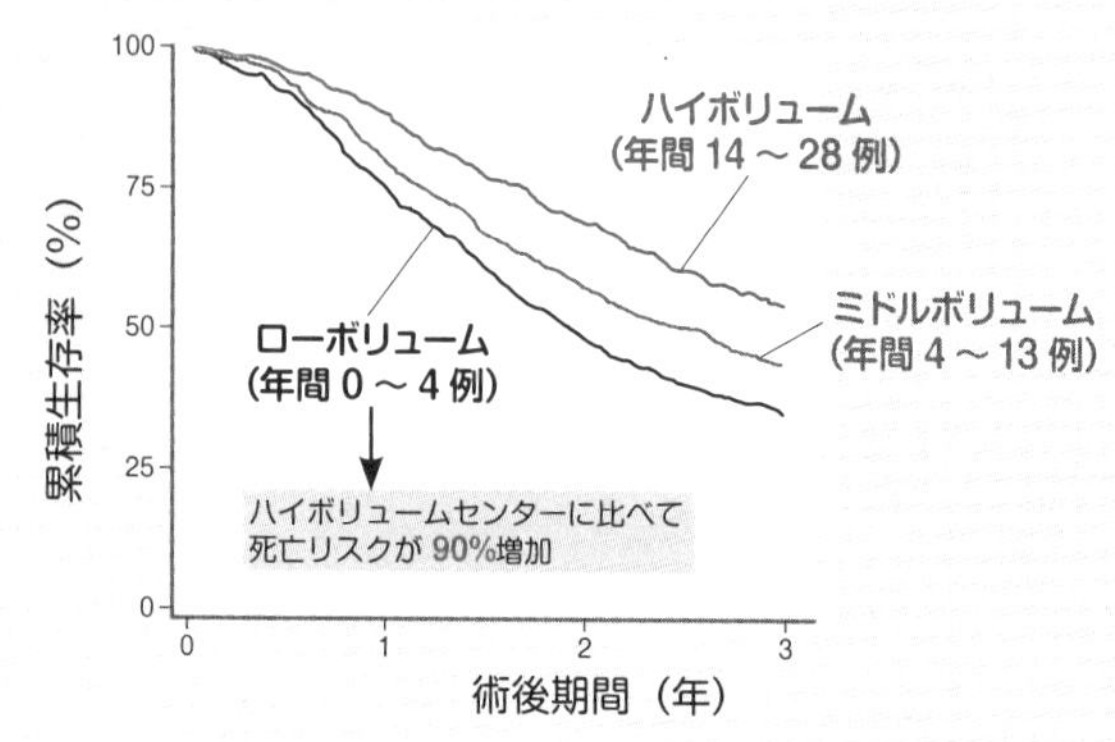

(Taniyama Y, et al. J Epidemiol. 2020. より一部改変)

ことが明らかとなっています。

とくに、膵臓がんに対する手術のひとつである膵頭十二指腸切除はとても難易度が高い手術であり、治療成績に関して病院間の格差が大きいことがわかっています。

東京大学病院外科の研究チームが、全国の848の病院で膵頭十二指腸切除術を受けた1万人以上の患者について、手術による死亡率、入院期間、および医療費について、病院の年間の手術件数との関係を調査しました。その結果、入院中の死亡率は、ローボリュームセンター(年間8例未満)では5・0%と高かったのに対し、ハイボリュームセンター(年間29例以上)では1・4%と有意に低くなっていました(全国平均は3・3%)。さらに、ハイボリュームセンターでは入院期間も短く、入院中にかかったすべての医療費も安かったとのことです。

このような研究報告を受け、日本におけるガイドライン『患者さんのための膵がん診療ガイドラインの解説』(金

原出版・2015年）にも、「膵頭十二指腸切除術などの膵がんに対する外科切除術は、専門医がいて手術の実施数が多い施設では手術後のトラブルが少なく、トラブル発生時の処置も優れているという利点があります」と記載されています。

つまり、これらの研究結果からいえることは、「がんの手術を受けるなら、（同じ臓器のがんに対する）手術をたくさんしている病院で受けたほうがいい」ということです。とくに膵臓がんなどのように高度な手術の技術と徹底した術中・術後管理が必要になるがんでは、ガイドラインでもすすめているように、ハイボリュームセンターで手術を受けるほうがより安全であるといえます。

ちなみに、何例以上の手術を行っていればハイボリュームセンターになるかという定義に関してはまだ統一した見解はありません。また、がんの種類によってもハイボリュームセンターの基準は違ってきますが、一般的には手術例数が多ければ多いほど信頼性が高まるといえるでしょう。

もちろん場所やお金の問題もあり、どの病院でも選べるわけではないと思います。ただ、手術を受ける病院選びで悩んだ場合には、手術例数のランキングで少しでも上のランクの病院を選ぶといいでしょう。

術前治療の患者さんの場合

がんの部位やステージによっては、術前にしばらくの期間、抗がん剤治療や放射線治療を行う場合もあります。

食道がんや乳がんでは、ステージによっては術前に抗がん剤や放射線治療を行うことが一般的です。また、他のがん（たとえば、一部の直腸がんや膵臓がんなど）に対しても術前治療の有効性を示す研究結果が増えてきました。

さらに、手術で切除が難しい進行がん（いわゆる切除不能のがん）では、いったん抗がん剤治療を先行し、がんが縮小した場合にはあらためて手術を行うというケースもあります。

このような手術前の治療期間にも筋肉の量が低下し、その結果、術後の合併症のリスクが高まったり、生存期間が短くなったりすることが報告されています。

たとえば、食道がん患者を対象とした研究によると、術前治療の期間に筋肉（骨格筋）量が減少した患者では、筋肉が保たれていた患者に比べて、手術後の感染性合併症が増加するという報告があります。

また、同様に食道がん患者についての他の報告では、術前治療中に骨格筋の減少が少なかった(12・5%未満)患者の3年生存率は68・9%であったのに対し、骨格筋の減少が多かった(12・5%以上)患者では0%であり、有意に生存率が低下していました。

このような術前治療中の骨格筋減少と予後との関係は、食道がんに限ったものではありません。術前の抗がん剤と放射線治療を受け、その後に手術を行った(進行)下部直腸がん患者144人についての研究でも、骨格筋の減少が多かった患者は、少なかった患者に比べて死亡リスクがおよそ3倍にもなることがわかっています。

このように、術前治療中の筋肉量の減少は、がんの治療がうまくいかない原因となり、ひいては生存率の低下につながるのです。

抗がん剤治療中には副作用や疲労感などでどうしても体を動かすことが少なくなります。同時に、食欲が低下して食事量が減り、栄養も不足しがちです。このような悪循環で、筋肉量が減ると考えられます。

したがって、術前治療中の患者さんは、とくに運動と栄養サポートによって筋肉量を保つ必要性があると考えられます。

実際に、術前治療中のプレハビリテーションが有効であることを示す研究結果も報告されています。術前治療を受けた直腸がん患者における身体機能（持久力）を評価した研究によると、術前の抗がん剤および放射線治療によって持久力は低下していましたが、その後、手術までの間に運動によるプレハビリテーションを行った患者では6週間以内に持久力が改善していました。

同様に、術前の抗がん剤治療中の膵臓がん患者を対象として、自宅でできる有酸素運動とレジスタンス運動からなるプレハビリテーションを行ってもらったところ、歩行距離などの身体機能が高まり、さらに生活の質も向上したとのことです。

また、抗がん剤治療中の運動の効果は、持久力や筋肉の維持だけではありません。じつは、**運動によって腫瘍内の血流が増えてがん細胞に薬が届きやすくなり、抗がん剤治療の効果が高まる可能性がある**のです。

実際に、膵臓がんの術前の抗がん剤治療中に運動（有酸素運動＋レジスタンス運動）をしていた患者では、腫瘍（切除した膵臓がん）内の血管数や血管密度が増えていたと報告されていますし、動物実験では、抗がん剤治療中に運動をさせると、がんの中の血流が増え、治療効果が高まることが証明されています。

また、直腸がん患者を対象とした研究においても、術前の抗がん剤と放射線の併用治療中に運動プレハビリテーションを実施したグループでは、切除した標本の顕微鏡検査で腫瘍の縮小効果が高まっていることが確認されました。
このような結果からも、術前治療中には積極的に運動をしたいものです。

コラム3

がんの手術を控えた患者さんの家族へ

がんは、患者さんだけではなく、家族を含め、まわりの人にも大きな影響を与えます。とくに、配偶者・パートナーや親ががんになった場合、患者さんと同じように、あるいはそれ以上に、いろいろな悩みや問題を抱えることになります。

「がん患者である家族が治るためには何でもしたい」という気持ちを持つことは当然なのですが、一方で、そういう気持ちが強すぎる場合には、患者さんの負担になることもあります。また、よかれと思ってやってあげることが、じつは患者さんにとってよくない結果をもたらす可能性さえあるため、注意が必要です。

手術を控えたがん患者さんをサポートするためにはどうしたらよいのでしょうか?

まずは、ふだんどおり患者さんと接することです。そして、何より患者さんの話を聞いてあげることが大事です。

がんの告知を受けた患者さんは、だれかに心配や不安な気持ちを打ち明けたいと思っていますので、まずは話しやすい状況をつくってあげてください。もちろん、がんがこの先どうなるか、あるいは、将来の生活のことなど、話し合っても解決しないこともたくさんあります。ただ、患者さんは人に話すだけでも少しは気が楽になります。ですので、家族はとにかく話を聞き、頷いてあげるだけでいいのです。無理に「大丈夫」とはげましたり、明るくふるまったりする必要はありません。

手術前の準備（プレハビリテーション）については、あたたかく見守ることです。本編で述べたプレハビリテーションのプログラムを一緒に考え、患者さんを影ながら支えてください。「～しなさい」と強制するのではなく、一緒になって運動や食事につきあっていただきたいと思います。

逆に、どういうことをやってはいけないのでしょうか?

まずもっとも避けたいのは、患者さんの仕事をうばってしまうということです。家族ががんになると、代わりにやってあげようと、いろいろな仕事を取り上げてしまうことがあります。「病人をいたわる」という気持ちから、どうしても過保護になってしまうというわけです。たとえば、ゴミ出しなど家事の分担、買い物など日常的に家族の一員として行っていた仕事を、代わりにやってあげようとするわけです。

「患者さんをいたわる」気持ちはもちろん大切なのですが、仕事をやってあげることは、患者さんが体を動かす機会を奪うことになり、体力の低下や筋肉の量が減る原因となります。とくに筋肉量の低下は、がんの生存率を低下させる原因にもつながります。すでに述べたように、プレハビリテーションの基本となるメニューのひとつは運動です。がん患者さんは、とにかく積極的に体を動かすべきなのです。

患者さんがしていた仕事は、これまでどおり続けてもらうことが大事です。また、家族のために自分も何か役に立つことで「家族が自分を頼りにしている」という気持ちを持つことができ、生きる力にもつながります。

次に避けたいことは、親戚や知り合いにすすめられた治療法などを安易に取り入れるということです。

がんになると、親戚や友人、知人から、いろいろな治療法（多くは食事療法や民間療法）、あるいは健康食品やサプリメントなどをすすめられます。代表的なものが、玄米菜食、人参ジュース、きのこのサプリメント、葉っぱを使った温灸など。

これらは、もちろん「だれだれさんのがんに効いたから」という親切心からだと思いますが、多くの場合、科学的根拠（すなわちエビデンス）がない治療法です。ただ、家族としては、藁をもすがる気持ちなので、どんな治療法でも試してみたいというのが本音です。ですので、ついついそういった治療法を、あまり調べもせずに「あなたもやってみて」というふうに、押しつけることがあります。

そして、効果がないだけではなく、患者さんの心身の負担にもなりますし、さらに、経済的に負担になることもあります。

プレハビリテーションの基本は、食事からしっかりとタンパク質を摂取すること、運動して筋肉を保つこと、そして、ストレスのないように過ごすこと、基本はそれだけで十分です。サプリメントに関しても、タンパク質を補充する場合にはホエイプロテインをおすすめしていますが、それ以外には必要ありません。エビデンスのない治療法にお金をかける必要はまったくないのです。

そして、最後に避けたいことは、「自分のことをほったらかしにする」ということです。身近な人ががんになると、どうしても全力投球してしまい、自分のことは後回しになります。「健康な自分が弱音を吐くことなどできない」と、ひとりで悩みを抱え込んでしまいます。「家族は第二の患者」といわれるように、がん患者さんの家族も、同時に大きなストレスにさらされます。体調を崩し、うつ病などの病気になる人もいます。

家族が心身ともに健康でいないと、患者さんを支えることができません。ですので、自分のことも大切にすることを心がけてください。疲れたらしっかり休むこと。ときどきは、息抜きに自分の好きなことや趣味の時間を楽しむこと。心配なことや悩みは、ひとりで抱え込まないで、まわりの親しい人に打ち明けたり、相談したりすること。また、本人の病気のことだけではなく、家庭のことやお金などの問題についても、病院にあるがん相談支援センターや、がん相談ホットラインなどネットの相談窓口、がん患者さんの家族向けのSNSコミュニティーサイトでも相談することもできます。

とにかく、家族を支えるために、自分自身も大切にする。そういう気持ちを持ちましょう。

あとがき

私が外科医になったきっかけのひとつに『ブラック・ジャック』があります。

ご存じの方も多いと思いますが、無免許の天才外科医ブラック・ジャックを描いた手塚治虫氏による傑作漫画です。ブラック・ジャックは、全身に広がったがんを、あざやかなメスさばきで治してしまいます。まさに「神の手」なのです。私は小学校のころ、ブラック・ジャックにあこがれ、「何でも治せる外科医」になりたいと思ったものです。

しかし、外科医になって25年以上がたった今、「自らのメスだけで何でも治せる外科医」は存在しないということを実感しています。つまり、外科医がどんなに完璧な手術をしても、合併症やがんの再発をゼロにすることは不可能なのです。

一方で、がんの手術をたくさん経験するにつれて、「手術がうまくいくかどうか」は、患者さん側の要因に大きく左右されると感じるようになってきました。

たとえば、胃や腸の吻合（つなぎなおし）では、手術自体はまったく問題なく終わったとしても、術前の栄養状態が悪い患者さんでは、縫合不全といった合併症のリスクが確実に増えます。

なかには、この合併症が原因で入院中に命を落とす患者さんもいます。外科医にとっても非常に残念な結果ですが、手術前の患者さんの全身状態や持病、あるいは生活習慣が手術の成否を決めるということもあるのです。

「どうやったら、手術の合併症によって入院が長引いたり、命を落としたりする患者さんをなくすことができるか」をつねに考えてきました。そして、ようやく自分自身の手術の技量（スキル）や精度を高めるだけではダメだと気づくようになってきたのです。

これらの患者さん側の要因は、医師にはどうしようもありませんが、患者さん自身によって（少なくともある程度は）改善することができます。

実際に、本書で紹介したように、運動、食事、精神的ケアなど、患者さん自身による手術前の準備（プレハビリテーション）によって、術後の合併症が減り、早期に回復することができるという多くの研究結果が報告されています。また、運動や食事以外にも、禁煙・呼吸訓練、口腔ケア、腸内細菌の改善など、手術の前にやるべきことがあるのです。

ところが、残念ながらプレハビリテーションのプログラムを導入している病院は日本にはほとんどありません。また、本書で紹介したような「がんの手術前にやるべきこと」をすすめる外科医もあまりいないでしょう。

ですので、患者さん自身がプレハビリテーションの必要性について評価し、個別の術前プログラムとして自主的に取り組むべきなのです。

これまではプレハビリテーションの重要性や方法について、一般の読者向けの本がありませんでした。患者さんも、手術前に何をすべきかご存じなかったと思います。そこで、本書では、がんの手術を控えたすべての患者さんを対象に、具体的な過ごし方について、科学的根拠にもとづいて解説しました。

本書を参考にしていただき、必要なプレハビリテーションのメニューを計画し、短期間でもいいのでトライしてみてください。また、これはがんを克服するうえでとても重要なことですが、「治療は病院・医者まかせ」ではなく、「自分自身が治療に参加する」という気持ちを持ってください。

がんの手術を控えた患者さんが、ひとりでも多く、無事に手術を乗り切り、笑顔で退院されることを心から願ってやみません。

２０２０年12月

佐藤典宏

著者　佐藤典宏（さとう　のりひろ）
1968年生まれ。医師・医学博士（産業医科大学第１外科講師）。主な著書に『ガンとわかったら読む本』（マキノ出版），『がんにならないシンプルな習慣』（青春出版社）など。

装幀　中田聡美
DTP　桂樹社グループ
イラスト　矢寿ひろお
企画協力　おかのきんや
（企画のたまご屋さん）
編集　桂樹社グループ

がん手術を成功にみちびくプレハビリテーション
専門医が語る がんとわかってから始められる7つのこと

2020年12月15日　第１刷発行
定価はカバーに表示してあります

著者　佐藤典宏
発行者　中川　進

〒113-0033　東京都文京区本郷2-27-16
発行所　株式会社　大月書店
印刷　三晃印刷
製本　中永製本
電話（代表）03-3813-4651　FAX 03-3813-4656　振替00130-7-16387
http://www.otsukishoten.co.jp/

ISBN978-4-272-36095-6　C0047　Printed in Japan

■参考文献

・Khuri SF, Henderson WG, DePalma RG, Mosca C, Healey NA, Kumbhani DJ. Determinants of long-term survival after major surgery and the adverse effect of postoperative complications. Ann Surg. 2005, 242 : 326-341.
・McLennan E, Oliphant R, Moug SJ. Limited preoperative physical capacity continues to be associated with poor postoperative outcomes within a colorectal ERAS programme. Ann R Coll Surg Engl. 2019, 101 : 261-267.
・Lawrence VA, Hazuda HP, Cornell JE, Pederson T, Bradshaw PT, Mulrow CD, et al. Functional independence after major abdominal surgery in the elderly. J Am Coll Surg. 2004, 199 : 762-772.
・Minnella EM, Awasthi R, Loiselle SE, Agnihotram RV, Ferri LE, Carli F. Effect of Exercise and Nutrition Prehabilitation on Functional Capacity in Esophagogastric Cancer Surgery : A Randomized Clinical Trial. JAMA Surg. 2018, 153 : 1081-1089.
・Dunne DF, Jack S, Jones RP, Jones L, Lythgoe DT, Malik HZ, et al. Randomized clinical trial of prehabilitation before planned liver resection. Br J Surg. 2016, 103 : 504-512.
・Nakajima H, Yokoyama Y, Inoue T, Nagaya M, Mizuno Y, Kadono I, et al. Clinical Benefit of Preoperative Exercise and Nutritional Therapy for Patients Undergoing Hepato-Pancreato-Biliary Surgeries for Malignancy. Ann Surg Oncol. 2019, 26 : 264-272.
・Janssen TL, Steyerberg EW, Langenberg JCM, de Lepper C, Wielders D, Seerden TCJ, et al. Multimodal prehabilitation to reduce the incidence of delirium and other adverse events in elderly patients undergoing elective major abdominal surgery : An uncontrolled before-and-after study. PLoS One. 2019, 14 : e0218152.
・Janssen TL, Steyerberg EW, Faes MC, Wijsman JH, Gobardhan PD, Ho GH, et al. Risk factors for postoperative delirium after elective major abdominal surgery in elderly patients : A cohort study. Int J Surg. 2019, 71 : 29-35.
・Moran J, Guinan E, McCormick P, Larkin J, Mockler D, Hussey J, et al. The ability of prehabilitation to influence postoperative outcome after intra-abdominal operation : A systematic review and meta-analysis. Surgery. 2016, 160 : 1189-1201.
・Gillis C, Buhler K, Bresee L, Carli F, Gramlich L, Culos-Reed N, et al. Effects of Nutritional Prehabilitation, With and Without Exercise, on Outcomes of Patients Who Undergo Colorectal Surgery : A Systematic Review and Meta-analysis. Gastroenterology. 2018, 155 : 391-410. e394.
・Steffens D, Beckenkamp PR, Hancock M, Solomon M, Young J. Preoperative exercise halves the postoperative complication rate in patients with lung cancer : a systematic review of the effect of exercise on complications, length of stay and quality of life in patients with cancer. Br J Sports Med. 2018, 52 : 344.

・Trepanier M, Minnella EM, Paradis T, Awasthi R, Kaneva P, Schwartzman K, et al. Improved Disease-free Survival After Prehabilitation for Colorectal Cancer Surgery. Ann Surg. 2019, 270 : 493-501.
・Gillis C, Li C, Lee L, Awasthi R, Augustin B, Gamsa A, et al. Prehabilitation versus rehabilitation : a randomized control trial in patients undergoing colorectal resection for cancer. Anesthesiology. 2014, 121 : 937-947.
・Hijazi Y, Gondal U, Aziz O. A systematic review of prehabilitation programs in abdominal cancer surgery. Int J Surg. 2017, 39 : 156-162.
・Lai Y, Wang X, Zhou K, Su J, Che G. Impact of one-week preoperative physical training on clinical outcomes of surgical lung cancer patients with limited lung function : a randomized trial. Ann Transl Med. 2019, 7 : 544.
・Chen BP, Awasthi R, Sweet SN, Minnella EM, Bergdahl A, Santa Mina D, et al. Four-week prehabilitation program is sufficient to modify exercise behaviors and improve preoperative functional walking capacity in patients with colorectal cancer. Support Care Cancer. 2017, 25 : 33-40.
・Aoki S, Miyata H, Konno H, Gotoh M, Motoi F, Kumamaru H, et al. Risk factors of serious postoperative complications after pancreaticoduodenectomy and risk calculators for predicting postoperative complications : a nationwide study of 17,564 patients in Japan. J Hepatobiliary Pancreat Sci. 2017, 24 : 243-251.
・Wang JP, Lu SF, Guo LN, Ren CG, Zhang ZW. Poor preoperative sleep quality is a risk factor for severe postoperative pain after breast cancer surgery : A prospective cohort study. Medicine (Baltimore). 2019, 98 : e17708.
・Waitzberg DL, Saito H, Plank LD, Jamieson GG, Jagannath P, Hwang TL, et al. Postsurgical infections are reduced with specialized nutrition support. World J Surg. 2006, 30 : 1592-1604.
・Ataseven B, du Bois A, Reinthaller A, Traut A, Heitz F, Aust S, et al. Pre-operative serum albumin is associated with post-operative complication rate and overall survival in patients with epithelial ovarian cancer undergoing cytoreductive surgery. Gynecol Oncol. 2015, 138 : 560-565.
・Caras RJ, Lustik MB, Kern SQ, McMann LP, Sterbis JR. Preoperative Albumin Is Predictive of Early Postoperative Morbidity and Mortality in Common Urologic Oncologic Surgeries. Clin Genitourin Cancer. 2017, 15 : e255-e262.
・Kanda M, Mizuno A, Tanaka C, Kobayashi D, Fujiwara M, Iwata N, et al. Nutritional predictors for postoperative short-term and long-term outcomes of patients with gastric cancer. Medicine (Baltimore). 2016, 95 : e3781.
・Noh GT, Han J, Cho MS, Hur H, Min BS, Lee KY, et al. Impact of the prognostic nutritional index on the recovery and long-term oncologic outcome of patients with colorectal cancer. J Cancer Res Clin Oncol. 2017, 143 : 1235-1242.
・Derogatis LR, Morrow GR, Fetting J, Penman D, Piasetsky S, Schmale AM, et al. The prevalence of psychiatric disorders among cancer patients. JAMA.

1983, 249 : 751-757.
· Sharma P, Henriksen CH, Zargar-Shoshtari K, Xin R, Poch MA, Pow-Sang JM, et al. Preoperative Patient Reported Mental Health is Associated with High Grade Complications after Radical Cystectomy. J Urol. 2016, 195 : 47-52.
· Mejdahl MK, Mertz BG, Bidstrup PE, Andersen KG. Preoperative Distress Predicts Persistent Pain After Breast Cancer Treatment : A Prospective Cohort Study. J Natl Compr Canc Netw. 2015, 13 : 995-1003.
· Dadgostar A, Bigder M, Punjani N, Lozo S, Chahal V, Kavanagh A. Does preoperative depression predict post-operative surgical pain : A systematic review. Int J Surg. 2017, 41 : 162-173.
· Foster C, Haviland J, Winter J, Grimmett C, Chivers Seymour K, Batehup L, et al. Pre-Surgery Depression and Confidence to Manage Problems Predict Recovery Trajectories of Health and Wellbeing in the First Two Years following Colorectal Cancer : Results from the CREW Cohort Study. PLoS One. 2016, 11 : e0155434.
· Tsimopoulou I, Pasquali S, Howard R, Desai A, Gourevitch D, Tolosa I, et al. Psychological Prehabilitation Before Cancer Surgery : A Systematic Review. Ann Surg Oncol. 2015, 22 : 4117-4123.
· Klevebro F, Elliott JA, Slaman A, Vermeulen BD, Kamiya S, Rosman C, et al. Cardiorespiratory Comorbidity and Postoperative Complications following Esophagectomy : a European Multicenter Cohort Study. Ann Surg Oncol. 2019, 26 : 2864-2873.
· Numata T, Nakayama K, Fujii S, Yumino Y, Saito N, Yoshida M, et al. Risk factors of postoperative pulmonary complications in patients with asthma and COPD. BMC Pulm Med. 2018, 18 : 4.
· Peng F, Hu D, Lin X, Chen G, Liang B, Zhang H, et al. Preoperative metabolic syndrome and prognosis after radical resection for colorectal cancer : The Fujian prospective investigation of cancer (FIESA) study. Int J Cancer. 2016, 139 : 2705-2713.
· Lee W, Yoon YS, Han HS, Cho JY, Choi Y, Jang JY, et al. Prognostic relevance of preoperative diabetes mellitus and the degree of hyperglycemia on the outcomes of resected pancreatic ductal adenocarcinoma. J Surg Oncol. 2016, 113 : 203-208.
· Timp JF, Braekkan SK, Versteeg HH, Cannegieter SC. Epidemiology of cancer-associated venous thrombosis. Blood. 2013, 122 : 1712-1723.
· Strongman H, Gadd S, Matthews A, Mansfield KE, Stanway S, Lyon AR, et al. Medium and long-term risks of specific cardiovascular diseases in survivors of 20 adult cancers : a population-based cohort study using multiple linked UK electronic health records databases. Lancet. 2019, 394 : 1041-1054.
· Licker MJ, Widikker I, Robert J, Frey JG, Spiliopoulos A, Ellenberger C, et al. Operative mortality and respiratory complications after lung resection for

cancer : impact of chronic obstructive pulmonary disease and time trends. Ann Thorac Surg. 2006, 81 : 1830-1837.
・Nakagawa M, Tanaka H, Tsukuma H, Kishi Y. Relationship between the duration of the preoperative smoke-free period and the incidence of postoperative pulmonary complications after pulmonary surgery. Chest. 2001, 120 : 705-710.
・Jung KH, Kim SM, Choi MG, Lee JH, Noh JH, Sohn TS, et al. Preoperative smoking cessation can reduce postoperative complications in gastric cancer surgery. Gastric Cancer. 2015, 18 : 683-690.
・Yahagi M, Tsuruta M, Hasegawa H, Okabayashi K, Toyoda N, Iwama N, et al. Smoking is a risk factor for pulmonary metastasis in colorectal cancer. Colorectal Dis. 2017, 19 : O322-O328.
・Rosero ID, Ramirez-Velez R, Lucia A, Martinez-Velilla N, Santos-Lozano A, Valenzuela PL, et al. Systematic Review and Meta-Analysis of Randomized, Controlled Trials on Preoperative Physical Exercise Interventions in Patients with Non-Small-Cell Lung Cancer. Cancers (Basel). 2019, 11 : 944.
・Nishikawa M, Honda M, Kimura R, Kobayashi A, Yamaguchi Y, Kobayashi H, et al. Clinical impact of periodontal disease on postoperative complications in gastrointestinal cancer patients. Int J Clin Oncol. 2019, 24 : 1558-1564.
・Akutsu Y, Matsubara H, Okazumi S, Shimada H, Shuto K, Shiratori T, et al. Impact of preoperative dental plaque culture for predicting postoperative pneumonia in esophageal cancer patients. Dig Surg. 2008, 25 : 93-97.
・Akutsu Y, Matsubara H, Shuto K, Shiratori T, Uesato M, Miyazawa Y, et al. Pre-operative dental brushing can reduce the risk of postoperative pneumonia in esophageal cancer patients. Surgery. 2010, 147 : 497-502.
・Sato J, Goto J, Harahashi A, Murata T, Hata H, Yamazaki Y, et al. Oral health care reduces the risk of postoperative surgical site infection in inpatients with oral squamous cell carcinoma. Support Care Cancer. 2011, 19 : 409-416.
・Nobuhara H, Yanamoto S, Funahara M, Matsugu Y, Hayashida S, Soutome S, et al. Effect of perioperative oral management on the prevention of surgical site infection after colorectal cancer surgery : A multicenter retrospective analysis of 698 patients via analysis of covariance using propensity score. Medicine (Baltimore). 2018, 97 : e12545.
・Zhuang CL, Huang DD, Pang WY, Zhou CJ, Wang SL, Lou N, et at. Sarcopenia is an independent predictor of severe postoperative complications and long-term survival after radical gastrectomy for gastric cancer : Analysis from a large-scale cohort. Medicine(Baltimore). 2016, 95 : e3164.
・Yamamoto K, Nagatsuma Y, Fukuda Y, Hirao M, Nishikawa K, Miyamoto A, et al. Effectiveness of a preoperative exercise and nutritional support program for elderly sarcopenic patients with gastric cancer. Gastric Cancer. 2017, 20 : 913-918.

- Chen LK, Woo J, Assantachai P, Auyeung TW, Chou MY, Iijima K, et al. Asian Working Group for Sarcopenia : 2019 Consensus Update on Sarcopenia Diagnosis and Treatment. J Am Med Dir Assoc. 2020, 21 : 300-307, e2.
- Tanaka T, Takahashi K, Akishita M, Tsuji T, Iijima K. "Yubi-wakka" (finger-ring) test : A practical self-screening method for sarcopenia, and a predictor of disability and mortality among Japanese community-dwelling older adults. Geriatr Gerontol Int. 2018, 18 : 224-232.
- Mori H, Tokuda Y. Effect of whey protein supplementation after resistance exercise on the muscle mass and physical function of healthy older women : A randomized controlled trial. Geriatr Gerontol Int. 2018, 18 : 1398-1404.
- Sugawara G, Nagino M, Nishio H, Ebata T, Takagi K, Asahara T, et al. Perioperative synbiotic treatment to prevent postoperative infectious complications in biliary cancer surgery : a randomized controlled trial. Ann Surg. 2006, 244 : 706-714.
- Kotzampassi K, Stavrou G, Damoraki G, Georgitsi M, Basdanis G, Tsaousi G, et al. A Four-Probiotics Regimen Reduces Postoperative Complications After Colorectal Surgery : A Randomized, Double-Blind, Placebo-Controlled Study. World J Surg. 2015, 39 : 2776-2783.
- Hyoju SK, Adriaansens C, Wienholts K, Sharma A, Keskey R, Arnold W, et al. Low-fat/high-fibre diet prehabilitation improves anastomotic healing via the microbiome : an experimental model. Br J Surg. 2020, 107 : 743-755.
- Ratjen I, Schafmayer C, di Giuseppe R, Waniek S, Plachta-Danielzik S, Koch M, et al. Postdiagnostic physical activity, sleep duration, and TV watching and all-cause mortality among long-term colorectal cancer survivors : a prospective cohort study. BMC Cancer. 2017, 17 : 701.
- Song M, Wu K, Meyerhardt JA, Yilmaz O, Wang M, Ogino S, et al. Low-Carbohydrate Diet Score and Macronutrient Intake in Relation to Survival After Colorectal Cancer Diagnosis. JNCI Cancer Spectr. 2018, 2 : pky077.
- Taniyama Y, Tabuchi T, Ohno Y, Morishima T, Okawa S, Koyama S, et al. Hospital surgical volume and 3-year mortality in severe prognosis cancers : A population-based study using cancer registry data. J Epidemiol. 2020, doi : 10.2188/jea.JE20190242.
- Yoshioka R, Yasunaga H, Hasegawa K, Horiguchi H, Fushimi K, Aoki T, et al. Impact of hospital volume on hospital mortality, length of stay and total costs after pancreaticoduodenectomy. Br J Surg. 2014, 101 : 523-529.
- Motoori M, Fujitani K, Sugimura K, Miyata H, Nakatsuka R, Nishizawa Y, et al. Skeletal Muscle Loss during Neoadjuvant Chemotherapy Is an Independent Risk Factor for Postoperative Infectious Complications in Patients with Advanced Esophageal Cancer. Oncology. 2018, 95 : 281-287.
- Kamitani N, Migita K, Matsumoto S, Wakatsuki K, Kunishige T, Nakade H, et al. Association of skeletal muscle loss with the long-term outcomes of

esophageal cancer patients treated with neoadjuvant chemotherapy. Surg Today. 2019, 49 : 1022-1028.
- Takeda Y, Akiyoshi T, Matsueda K, Fukuoka H, Ogura A, Miki H, et al. Skeletal muscle loss is an independent negative prognostic factor in patients with advanced lower rectal cancer treated with neoadjuvant chemoradiotherapy. PLoS One. 2018, 13 : e0195406.
- West MA, Loughney L, Lythgoe D, Barben CP, Sripadam R, Kemp GJ, et al. Effect of prehabilitation on objectively measured physical fitness after neoadjuvant treatment in preoperative rectal cancer patients : a blinded interventional pilot study. Br J Anaesth. 2015, 114 : 244-251.
- Ngo-Huang A, Parker NH, Bruera E, Lee RE, Simpson R, O'Connor DP, et al. Home-Based Exercise Prehabilitation During Preoperative Treatment for Pancreatic Cancer Is Associated With Improvement in Physical Function and Quality of Life. Integr Cancer Ther. 2019, 18 : 1534735419894061.
- Florez Bedoya CA, Cardoso ACF, Parker N, Ngo-Huang A, Petzel MQ, Kim MP, et al. Exercise during preoperative therapy increases tumor vascularity in pancreatic tumor patients. Sci Rep. 2019, 9 : 13966.
- West MA, Astin R, Moyses HE, Cave J, White D, Levett DZH, et al. Exercise prehabilitation may lead to augmented tumor regression following neoadjuvant chemoradiotherapy in locally advanced rectal cancer. Acta Oncol. 2019, 58 : 588-595.